Marco

Come fossi solo

G GIUNTI

I riferimenti storici al massacro di Srebrenica e al relativo processo
si basano su documenti e materiale processuale.
I dettagli del racconto sono liberamente reinterpretati dall'autore.

Come fossi solo
di Marco Magini
«Italiana» Giunti

http://narrativa.giunti.it

© 2014 Giunti Editore S.p.A.
Via Bolognese 165 – 50139 Firenze – Italia
Via Borgogna 5 – 20122 Milano – Italia
Prima edizione: gennaio 2014
Terza ristampa: aprile 2014

Ristampa	Anno
8 7 6 5 4 3	2018 2017 2016 2015 2014

Alla Cap e alla professoressa Cappelli

Because of everything that happened I feel terribly sorry,
but I could not do anything.
When I could do something, I did it.
Dražen Erdemović

PROLOGO

Dirk

Vorrei non dovermi ancora una volta svegliare in mia compagnia.

Mi alzo e mi faccio la barba.

Sono passate le undici e anche stamani non ho salutato i bambini prima che andassero all'asilo. Mi gira la testa, avanzo incerto verso il bagno che ha un odore chimico di lavanda.

Christine.

Ha affogato nel deodorante l'odore di vomito di ieri sera. Potesse, darebbe una spruzzatina anche sul resto della nostra vita. Più la vedo e più mi fa schifo. Le canzoncine della buonanotte cantate ai bambini, il suo aggiungere *caro*, *tesoro*, alla fine di ogni frase, fanno sembrare tutto ancora più sfacciatamente patetico.

Mi gira la testa. Mi siedo sulla tazza per pisciare in modo da non perdere di nuovo l'equilibrio. Lo spazzolino, il dopobarba, la crema per il viso: ogni singolo oggetto si trova esattamente dove si è sempre trovato e dove sempre si troverà. Mi tiro su: è solo l'immagine riflessa nello specchio a essere fuori posto in questo cazzo di bagno.

Esco per allontanare i pensieri.

Afferro la prima maglietta che trovo nell'armadio e vado verso la cucina. Immancabile un biglietto mi aspetta sopra il tavolo.

Buongiorno tesoro,
c'è della frutta in frigo, mangiala insieme allo yogurt.
Ho fatto anche del polpettone, mangialo per pranzo che ti piace.
Ti amo,
Chris.

Apro il freezer e prendo del ghiaccio per farmi un gin tonic. Fuori il vicino taglia l'erba del prato. Da quando si sono trasferiti sembra che non abbiano altro a cui pensare. Avrà più o meno settant'anni, è grasso, suda, la gora ormai scura sulla schiena e sotto le ascelle. Mi stanco ben presto di quello spettacolo, mi faccio un altro gin tonic e entro incerto nel salone.

È solo in quel momento che la vedo.

Come cazzo le è venuto in mente?

Le mensole ai lati del televisore, quelle dove tenevamo i souvenir dei nostri viaggi, sono adesso riempite di foto, foto ben inquadrate in cornici d'argento. Foto di quando eravamo fidanzati, foto del nostro matrimonio, foto dei bambini, foto di me in divisa il giorno del diploma all'accademia militare.

Ha stravolto la disposizione del nostro soggiorno.

Accendo e mi metto in poltrona.

I programmi della mattina ti fanno sentire solo al mondo, oppresso tra repliche e serie per casalinghe. Bevo a piccoli sorsi, giocherellando con il ghiaccio. La foto mi fissa alla sinistra del televisore, un giovane me sorridente in divisa, in posa davanti alla bandiera sullo sfondo.

Bell'idea, Christine.

Torno in cucina, riempio un cestello di ghiaccio e prendo la bottiglia del gin. Passo da un canale all'altro, come se stessi cercando davvero qualcosa. Finalmente mi imbatto in una corsa ciclistica. È ancora troppo lontana dall'arrivo per poter offrire un qualche tipo di interesse, ma alzo lo stesso il volume al massimo nella speranza che la voce del commentatore colmi il silenzio che ho in testa.

Mi sbaglio.

Immobile accanto allo schermo, quel me di tanti anni fa mi guarda, sorridente.

Bevo e cerco di ignorarlo, ma lui continua a fissarmi.

Cosa cazzo sorridi?

Mi alzo, bevo un sorso e guardo fuori dalla finestra nella speranza di distrarmi. Il vicino è rientrato e sulla strada regna la calma di una mattina feriale come tante.

Anche se non lo osservo so che mi sta fissando.

E ride.

Mi giro e passo in rassegna le foto.

Io e Christine appena conosciuti, a campeggiare in riva al lago; io e Christine il giorno delle nostre nozze, due ragazzini vestiti a festa, e poi i bambini, i bambini che crescono una cornice dopo l'altra.

Bellissima idea che hai avuto, Christine…

Eccola finalmente. La foto del giorno del diploma, eccomi in divisa sfoggiare quel sorriso imbecille: «Pronto a servire la patria». La prendo tra le mani.

«Cosa ridi? Cosa ridi? Cosa ci sarà mai da ridere?» gli sussurro con odio.

Voglio stringerla con entrambe le mani. Lascio il bicchiere. Cade in frantumi, i vetri sul parquet tirato a lucido. Non mi interessa, devo parlarci, devo capire.

«Cosa ti eri messo in testa di fare? Cosa cazzo pensavi ti avrebbero mandato a fare?» mi scopro a dire.

Lo guardo dritto negli occhi ma lui pare non curarsene, continua a fissarmi. E ride.

Quello non sono io, quello non sono mai stato io. Stringo la cornice fra le mani, le dita conficcate nel vetro, sempre più forte, più forte, finché non scricchiola. Sotto la pressione dei miei polpastrelli si spacca. Getto la cornice. Ho le mani che sanguinano, afferro la foto, la strappo in tanti pezzi e me li butto alle spalle come una manciata di coriandoli.

«Cosa cazzo pensavi di fare, Christine?» dico, pianissimo, quasi sussurrando, come se quelli della televisione potessero sentirmi.

Mi dirigo in cucina, apro i cassetti, niente, apro la credenza, niente. Afferro una sedia per le gambe con entrambe le mani e la sbatto contro il televisore acceso, la sbatto ancora e ancora, sempre più forte.

«Non le voglio vedere, non le voglio vedere.» Non è la mia voce quella che sento, ma non importa.

Afferro la gamba della sedia, voglio fracassare una a una queste cazzo di mensole, con ferocia, nessuno deve avere il sospetto che l'abbia fatto per errore. Mi sposto verso l'angolo della sala e rompo la vetrina con tutti i suoi squallidi soprammobili, prendo un fermacarte di metallo e lo lancio contro il tavolino di vetro in mezzo al soggiorno. Provo piacere fisico nel vederlo in frantumi. Ho sempre odiato quel tavolo, coperto di riviste che nessuno ha mai letto. Ficco le dita nel divano fino a strapparne la fodera.

Mi fermo in mezzo alla sala a contemplare i risultati della mia furia e urlo, finalmente urlo, finalmente faccio l'unica cosa che sentivo davvero il bisogno di fare.

Digrigno i denti, corro in bagno e scaravento tutto per terra. Tutto, tutto, spazzolini, creme, mensole, mobiletti, mi libero di tutto il tuo stramaledetto ordine, Christine! Tiro un pugno allo specchio, poi un altro, un altro ancora, finché non ne rimangono che pochi frammenti.

Mi fermo, ansimo, mi guardo le nocche insanguinate. Finalmente sento qualcosa, finalmente sento almeno dolore.

«Bell'idea del cazzo, Christine!»

Annaspo, cerco di calmarmi, mi tolgo le schegge di vetro conficcate nella carne. Mi guardo intorno e mi vedo, guardo il bagno, le boccette rotte che versano sul pavimento e mi riconosco.

Mi trascino fino al soggiorno senza nemmeno un pensiero in testa.

Mi inginocchio, guardo le mie mani coperte di sangue e piango.

Romeo

Il fastidio è un vestito che non hai scelto, un vestito che non senti tuo.

Lunga, troppo lunga, continuava a trovarsela fra i piedi. Non gli avevano mai fatto indossare una toga così prima di allora.

Che fosse un materiale diverso dal solito? C'era qualcosa in quel tessuto che gli faceva venire voglia di grattarsela via.

Plastica, tanta, da fare scintille a contatto con la camicia. Un tessuto artificiale, una fibra sintetica fatta apposta per irritargli la pelle. Sorrise. «Magari anche qui importano tutto dalla Cina, perfino le toghe» pensò.

Sbirciando i colleghi seduti accanto, Romeo González si domandava cosa pensassero loro di quelle toghe e se stessero segretamente maledicendo il fornitore per la scarsa qualità del prodotto.

La giustizia e i suoi rituali.

Non vedeva l'ora che il giudice Lee ponesse la domanda di rito in modo che il teste dichiarasse la sua non colpevolezza e lui potesse tornare in anticamera e togliersela di dosso. Doveva ricordarsi di chiedere se quella sarebbe stata la toga assegnatagli per il resto del processo o se si trattava soltanto di una provvisoria per la lettura dei capi di imputazione.

Inconvenienti di una struttura di recente istituzione: magari le toghe vere e proprie sarebbero arrivate nelle settimane successive.

C'era addirittura meno gente di quanta se ne aspettasse, pensò guardando l'aula semivuota. Cinque giornalisti più una ragazza seduta in fondo. Sei persone: questo era l'interesse che il mondo nutriva per il caso che si apprestava a giudicare.

L'imputato si era alzato all'ingresso della corte. Una camicia bianca e un paio di jeans, le cuffie alle orecchie per ascoltare la traduzione, il viso teso e le mani conserte dietro alla schiena. Poco più che un bambino, un sempliciotto sbarbato per il giorno delle nozze.

Era la prima volta che Romeo González lo incontrava dal vivo.

Il giudice sorrise tra sé e sé mentre Lee elencava i capi d'imputazione: stavano esagerando, la difesa avrebbe avuto buon gioco a smontare accuse del genere. In fondo bastava guardarlo per rendersi conto che la persona che avevano davanti non era quella descritta dai crimini elencati.

La giurisprudenza non era in grado di valutare un fatto di questa portata. Tutto troppo mostruoso, tutto troppo orribile e tutto troppo complicato.

Letti i capi di accusa, il giudice Lee rimase a aspettare che gli interpreti terminassero la traduzione. Nel frattempo anche la stampa cominciava a prepararsi: i giornalisti chiudevano i taccuini e raccoglievano le borse preparandosi a abbandonare l'aula.

«Colpevole.»

Lee si prese un momento di pausa per essere sicura di avere capito bene.

«L'imputato dichiara di avere compreso tutti i capi d'imputazione e di dichiararsi colpevole?» ripeté, senza riuscire a celare la sorpresa.

«Mi dichiaro colpevole di tutti i reati di cui sono accusato» ripeté in cuffia la voce neutra del traduttore.

Lo sguardo dritto verso la corte, non un'esitazione. Osservando i loro volti chiunque avrebbe pensato che fosse stata Lee a dichiararsi colpevole.

Anche Romeo González ne fu sorpreso. Si trattava forse di un mitomane? La guerra gli aveva dato alla testa? Si rendeva conto di quello che stava dicendo? Romeo aggrottò le sopracciglia, sarebbe stata la perizia psichiatrica a chiarire le reali condizioni dell'imputato.

«L'udienza è tolta, la corte si aggiorna» concluse il giudice Lee dopo avere concesso un'altra opportunità al traduttore.

Senza farsi notare, Romeo González mise le mani sui fianchi, in modo da alzare quella toga quanto bastava per non trovarsela fra i piedi nel breve tragitto che lo separava dall'uscita.

Raggiunta la porta dell'anticamera si sentì sollevato: sperava solo con tutto il cuore di non dovere indossare quel vestito per il resto del processo.

Dražen

Non sono pazzo. Loro non possono vedermi in questo stato. Loro non devono vedere la furia. Esci, esci, esci prima
che ti esploda la testa. L'aria del giardino, il prato umido,
mi sembra di sentire l'odore del bosco. Devo tenermi occupato, devo smettere di farmi domande.

La legna.

Ecco, un ciocco alla volta. Spaccalo in due. Devi farlo
in maniera naturale, nient'altro che un'azione quotidiana.
Renditi invisibile. È quasi inverno, tutti hanno bisogno di
legna. Concentrati sulla legna. Devi zittire il rumore che
hai in testa, dimentica quel pianto. Serve un colpo secco.
Spezzalo a metà in un colpo solo.

Serve un colpo secco. Netto. Preciso. Così! Uno. Più
deciso! Due. Più forte! Tre. Più forte! Quattro. Ancora
un altro! Cinque, sei, sette, più in fretta lo fai, prima
avrai finito. Devi tenere la testa occupata. Otto! Nove!
Dieci! Devi tenere lontano il rumore. Più forte, più forte
ancora!

Sanja. Non l'ho sentita arrivare. Perché mi guarda così?
Mi devo calmare. Sono sudato, ansimo. «Vieni qui, tesoro»
le dico.

Non si muove, mi fissa a un paio di metri. Pare pensarci.

La mia piccola Sanja; devo sembrarle un mostro. A volte mi chiedo se non abbia capito tutto. Eccola, mi viene incontro. La mia bambola di porcellana, piccoli passi per evitare le pozzanghere sul prato. Uno. Due. Tre. Un salto sulla destra. Quattro, cinque, sei. Si ferma, mi guarda e in quel momento capisco.

Sono gli occhi di mia figlia a farmi impazzire. È giunto il momento di farlo, di farlo per Sanja.

COME FOSSI SOLO

Dirk

Axel continua a battermi l'indice sulla spalla in maniera sempre più insistente. «Hai intenzione di scoparci col telefono?» mi ripete nervoso. «C'è la fila qui dietro!» Attacco e gli lancio il satellitare con disprezzo. Lo prende al volo sorpreso. «Stronzo» mi apostrofa mentre digita il numero. Esco, ho bisogno di prendere aria. Che cazzo vuole Axel?

È una settimana che non chiamo. Due telefonate, poche parole con Christine, ancora meno per i miei. «Scopare col telefono.» Che testa di cazzo, come se questa stanzetta piena di stronzi in attesa non fosse di per sé abbastanza umiliante. Povera Christine, mi imbarazzo anche a dirle «ti amo» con quella fila di coglioni che mi ascolta. Chiedo come vanno le cose al lavoro, come stanno i bambini e attacco. Ogni volta mi domanda se qualcuna ci ha provato con me, magari una delle civili.

Sorrido. Mi viene da ridere al solo pensiero di considerare civile una delle donne di Potočari. Vestono tutte come delle vecchie, si lavano a malapena e la più raffinata ha dei baffi così duri che non riuscirebbe a tagliarli anche se lo volesse. In Olanda non si rendono conto del luogo in cui ci hanno mandato e forse è meglio così. Mia madre continua a dirsi sicura che siamo vicini alla soluzione, che le trattative procedono: «L'hanno detto al telegiornale». Non ho mai il coraggio di contraddirla. Dio solo sa quanto vorrei che avesse ragione, ma sono mesi che siamo bloccati in questa valle in attesa di non sappiamo cosa. Viviamo barricati all'interno del recinto che circonda i nostri prefabbricati, il quartier generale in questa grigia fabbrica di batterie in disuso.

Avrei voglia di sgranchirmi le gambe, di fare due passi, ma non ho nessuna intenzione di uscire e incontrarli. I *civili*, intendo. Si stenta a chiamarli tali. Non li sopporto, non li reggo più, e quando mi sfiorano mi viene voglia di scacciarli come si fa con le mosche. Sono sempre sporchi, i civili, e d'estate puzzano.

Il nostro è un recinto di quindici chilometri, incastrato in una valle dalla quale non possiamo uscire. All'inizio lo spazio pareva grande, ma dopo tutto questo tempo ti manca l'aria. Ho perfino cominciato a apprezzare i pochi colpi di mortaio che ci regalano dalle colline: non mirano a fare vittime e rompono la monotonia di questi giorni appiccicosi, mi ricordano perché sono qui.

Passo le mie giornate in un costante stato di nervosismo, sempre stanco ma pronto a esplodere per qualsiasi dettaglio fuoriposto. Abbiamo l'acqua razionata e, tra elmetto, mitra e giubbotto antiproiettile, vivo immerso nel sudore, bestemmiando mentre cerco di grattarmi via la dermatite.

Perché cazzo ci hanno mandato qui?

Vorrei vederci loro, quelli del ministero, in questo paese di merda. Ci hanno messo in testa questi elmetti blu per facilitare il lavoro dei cecchini. Non è rimasta neanche abbastanza benzina per pattugliare la città coi blindati. Se non fosse per la minaccia dal cielo, quelli nel bosco ci avrebbero fatto la festa da mesi. È, fra tutti i disagi, proprio questa sensazione d'impotenza la cosa che non riesco a mandare giù.

Le partite serali a backgammon con Florijan, il miglior giocatore della città secondo il suo modestissimo parere, sono l'unico diversivo delle mie giornate. Il backgammon svuota la mente, è un gioco semplice, automatico. Sono così allenato che ormai qualunque combinazione di dadi mi trovi davanti riconosco la mossa giusta senza nemmeno pensare. Mi sforzo di mantenere sempre la visione d'insieme e il controllo della partita. Florijan è il nostro elettricista, un musulmano, il figlio del *muhtar* della città. Lo abbiamo ricevuto in eredità dai caschi blu canadesi che gli hanno insegnato un discreto inglese. Mentre giochiamo non smette un attimo di domandarmi com'è vivere in Europa e quanto viene pagato un elettricista in Olanda. «Quando sarà tutto finito mi porterai con te,» continua a ripetermi mentre lancia i dadi «altrimenti finisce che ti dimentichi come si gioca a backgammon.»

Ride.

Florijan è il mio unico amico qui. Noi soldati siamo ormai alla deriva, troppo frustrati per riuscire a concentrarci su qualsiasi altra cosa fuori da noi stessi: scambiamo il minimo di parole necessarie a coordinare le nostre esistenze che ormai scorrono parallele. Florijan è l'unico che ha ancora il coraggio di sorridere, ridere in maniera spontanea, come se non fossimo sotto assedio, come se stessimo davvero giocando a dadi in una qualunque serata estiva di una qualunque cittadina olandese.

«E quanto costerebbe comprarmi una casa?» mi chiede mentre muovo le pedine. «Ma con il giardino? E un appartamento? Potrei anche vivere lontano dal centro, sono uno che si adatta, io!» Ogni volta le stesse domande, ma con un entusiasmo che non può non coinvolgerti, soprattutto qui, dove l'entusiasmo è finito da tempo. «Sì, meglio l'Olanda del Canada, molto più vicina a casa.» La sua storia preferita è che l'Olanda si trova sotto il livello del mare. «I Paesi Bassi,» continua a ripetere, «ma come fate a non stare sott'acqua? Vi chiamano i puffi,» aggiunge ridendo, «ma in realtà siete degli Snorky!»

Florijan non mi ha mai chiesto un favore, non ha mai cercato in qualche modo di fregarmi, neanche a backgammon. Se io sono diventato il miglior giocatore del battaglione lo devo ai consigli che mi ha passato durante le nostre infinite partite. «Prima di tutto bisogna cercare di occupare le porte, tenere sotto scacco l'avversario, chiuderlo, non scoprirsi e sfruttare le sue debolezze, bloccarlo in casa, non farlo uscire» continua a ripetere senza smettere di fissare il tabellone. «Bisogna aspettare rimanendo compatti, sicuri che prima o poi sarà lui a fare un errore e finire la partita prima che possa reagire. Il backgammon è in fondo un gioco semplice» ama ripetermi. «Guardati intorno, lo sanno giocare tutti, anche quelli che scrivono a malapena. Il segreto per vincere è non lasciare indietro nessuno, nessuna delle proprie pedine, proprio come nella vita.»

Romeo

Accostandosi alla finestra del suo ufficio Romeo González si chiese perché, come sede, avessero scelto un posto come quello. Non stava piovendo, ma neanche si decideva a diventare sereno. Guardò l'orologio. Il sole sorgeva timidamente da qualche parte dietro la nebbia, ma la differenza di luce era impercettibile. Appoggiato alla finestra, sorseggiava il suo tè liofilizzato. L'odore chimico che fuoriusciva dal bicchiere di plastica non era certo gradevole, ma dopo una notte insonne sentiva il bisogno di qualcosa di caldo e a quell'ora del mattino non aveva trovato niente di meglio che la macchinetta del corridoio.

Ripensando alla sera prima si trovava patetico. Non era tanto il fatto di avere di nuovo tradito sua moglie a farlo sentire squallido, quanto la certezza di non poterla definire una conquista. Era diventato uno di quei sessantenni che tanto aveva disprezzato ai tempi del praticantato. La sua posizione sociale era l'unica cosa attraente che gli era rimasta e l'aridità del corpo di quella stagista non aveva mancato di confermarglielo. Sperava solo di non doverla incontrare di nuovo, almeno non proprio quella mattina, ma era probabile che si sarebbe presentata in aula di lì a poche ore per la lettura della sentenza.

Le ultime settimane erano state per lui il susseguirsi di un ritornello. Si sentiva stanco, profondamente stanco, ma una volta a letto non riusciva a prendere sonno, terrorizzato dal pensiero di cosa avrebbe potuto incontrare nei suoi sogni. «È l'età,» tagliava corto sua moglie durante la loro telefonata quotidiana, «sarà meglio che cominci a farci l'abitudine.» Trovava il sonno solo nelle prime ore del mattino e passava il resto della giornata come anestetizzato, incapace di un qualsiasi guizzo vitale. Quella notte era stato addirittura peggio, quella notte non era riuscito a chiudere occhio. Tornato a casa si era fatto una doccia per togliersi di dosso l'odore straniero della sua ultima avventura extraconiugale e si era messo a letto rimanendo con gli occhi spalancati a fissare il soffitto. Ma quella non era una notte come le altre e Romeo González si rese ben presto conto che restando a letto avrebbe finito per affogare nei soliti dubbi. Si era quindi vestito e, sfidando il freddo della notte, si era diretto di buon'ora in ufficio, nella speranza di imbattersi in quelle risposte che non era riuscito a trovare nei mesi precedenti.

Fece un passo indietro allontanandosi dalla finestra e lanciò uno sguardo veloce verso la segreteria telefonica. La lucina rossa lampeggiava. «Sarà la signorina Von Thiel» gli venne naturale pensare. Dopo tutti quei mesi non si era ancora abituato alla nuova segretaria. Non trovava niente di sbagliato in lei, ma forse era proprio questa la cosa più spaventosa. Al contrario della signora Antúnez, nella signorina Von Thiel di maestoso c'era solo la sua insignificanza. Ma la signora Antúnez se ne era rimasta a Madrid, prendendo come pretesto la sua promozione per andarsene in pensione.

Ma era stata poi davvero una promozione? O una scusa per tenerlo lontano da Madrid?

«Ohi. Sei ancora in ufficio?» furono le prime parole che uscirono dalla segreteria.

«Silvia» pensò.

Sapeva che sua figlia lo chiamava più per senso del dovere che per un reale interesse nei suoi confronti. Era come se, allontanandosi da Madrid, si fosse in qualche modo allontanato anche dai suoi pensieri. Anche questo messaggio finì per rivelarsi il solito resoconto settimanale di piccoli fatti sempre uguali. Qualche parola su Juan, il suo compagno, le ultime novità riguardo alle pratiche che seguiva per lavoro e vaghe allusioni sul tempo a casa.

Erano anni che a ogni telefonata della figlia aspettava l'annuncio della gravidanza e del suo primo nipote. Silvia aveva ormai trentasei anni compiuti e conviveva da quasi dieci con Juan. Quello che per lungo tempo era stato il principale argomento d'ironia durante i pranzi familiari era diventato un vero e proprio tabù, una domanda che rimaneva ogni volta taciuta. Comunque Romeo González continuava a immaginarsi nonno, in fondo l'unico ruolo in cui riusciva davvero a vedersi a quel punto della propria vita: passare l'estate nelle Asturie, leggere romanzi e portare i nipoti ai corsi di nuoto, magari scrivere un libro di memorie.

Aveva sempre avuto la sensazione che Silvia avesse deciso di diventare avvocato immaginando che fosse quello che lui si aspettava da lei. Forse, invece, si dava ancora una volta troppa importanza e stava di nuovo proiettando su sua figlia i sentimenti che aveva provato lui trentenne. Ma non riusciva a smettere di pensare che una parte di Silvia, quella più autentica, stesse svanendo lentamente dentro a quello studio madrileno dove lavorava ormai da qualche anno. Riavvolse e riascoltò il messaggio. Avrebbe voluto dirle che a lui interessava solo la sua felicità, ma lo trovava un pensiero banale, scontato, e comunque tardivo.

Sorseggiando quel tè liofilizzato che cominciava solo in quel momento a raffreddarsi, pensò che forse stava ancora attribuendo a Silvia desideri che erano invece appartenuti solo al giovane Romeo González. Lui, Legge, l'aveva davvero scelta per dovere nei confronti di quel padre che si svegliava ogni mattina prima dell'alba per andare a impastare il pane. Cos'altro avrebbe voluto fare? Avrebbe voluto scrivere, ma chi lo avrebbe spiegato a suo padre che anni di sacrifici erano serviti per far studiare sceneggiatura al suo unico figlio? E poi che cosa avrebbe mai potuto scrivere? Quando Romeo González era uno studente universitario il franchismo era ancora una cosa seria. Con la censura non si scherzava e lui era sempre stato un ragazzo intelligente, ma non un eroe.

Seduto alla scrivania del suo ufficio, Romeo González ebbe la chiara percezione di come quel posto stesse davvero succhiandogli ogni forma di entusiasmo. «Sono stanco» disse a se stesso a mezza voce. «Quando questa storia sarà finita, tutto tornerà a posto, tutto tornerà come prima.»

Il messaggio terminava con il solito saluto di rito: «Vedi

di prenderti cura di te» tagliava corto la voce della figlia. Non trovò altri messaggi quella mattina e, come se non bastasse, si accorse di non avere più spiccioli per prendersi un altro tè.

Dražen

Niente, il vuoto. Sono stato un ingenuo, un folle. E ora non ho più la forza nemmeno di provare rabbia, rimango disperato a contemplare la strada muta in attesa di passi che non arriveranno. Il silenzio ha messo radici dentro di me.

Neanche cinque mesi fa, durante il battesimo di Sanja, sono riuscito a dire una parola, a mormorare una preghiera. Non riuscivo a smettere di pensare a come fosse patetico sentire invocare Dio in quella fredda chiesetta deserta, io, Sanja, Irina e un prete con una gran voglia di finire la cerimonia il più presto possibile. Il battesimo è stato l'unico regalo che ho potuto fare a Irina negli ultimi mesi. Non ho avuto il coraggio di dirle di no quando mi ha chiesto di battezzare nostra figlia, anche se continuo a pensare che non viviamo in un tempo adatto per i battesimi. Non è il momento di iniziare qualcuno a una comunità religiosa, proprio ora che la guerra si è trasformata in un'enorme crociata. Sono però così poche le soddisfazioni che ho potuto dare a mia moglie che non me la sono sentita di litigare sul battesimo della nostra primogenita.

Mi sembra di vedere la sofferenza di ogni nostro passo sul suo viso. La decisione di lasciare Bricko prima che fossero gli eventi a forzarci a partire, poche settimane a Pančevo e poi Belgrado. Ogni mattina muovermi tra villaggi diversi alla ricerca di qualche lavoretto da carpentiere, di pochi giorni nella bottega di un fabbro. L'ansia che aumenta e i risparmi che diminuiscono. Quel senso d'impotenza, la rabbia di chi è disposto a fare qualsiasi cosa pur di portare a casa due soldi. Più passa il tempo, più la guerra avanza, e meno si trova lavoro. Sentirsi per settimane responsabile di questo suo lento avvelenamento, di questo rimbalzare da un angolo all'altro di un paese dai confini sempre più incerti, mentre la pancia diviene ogni giorno più visibile. A ogni partenza i suoi occhi sembravano implorarmi di trovare una soluzione a quel vagare senza meta. La guerra in quei mesi sarebbe stata poco più che una presenza invisibile nella nostra vita se non fosse stato per il volto stanco di Irina. Mai una parola però, mai un lamento, mai una volta che mi abbia fatto notare che le mancava qualcosa. Irina non dice niente, nonostante i miei fallimenti ha ancora fiducia in me, ha ancora fiducia in noi. Mi sento fortunato a avere accanto qualcuno che ogni giorno mi dimostra il suo amore, specialmente in un momento come questo. Ma è proprio questa consapevolezza a fare aumentare in me l'ansia, e l'ansia non fa che aumentare la frustrazione per tutto quello che non riesco a offrirle.

Se penso alle speranze dei primi giorni a Belgrado, mi viene da ridere.

Abbiamo tentato di rifugiarci presso dei parenti di Irina che abitano in Svizzera. Le telefonate interrotte, le interminabili file all'alba davanti all'ambasciata per ottenere il visto, e sentirmi invece ripetere ogni volta che qualcosa mancava. I pomeriggi a lottare al mercato della frutta per lavorare in uno dei pochi banchi che ancora ricevono qualcosa da vendere. «Andrà tutto bene, Irina, la fortuna girerà» le ho ripetuto ogni sera prima di addormentarci. E poi Sanja e quella sua voglia di vivere che non poteva aspettare i nove mesi canonici. Avrei voluto che fosse tutto diverso, non avrei voluto vivere la sua nascita come un'ulteriore sventura.

E poi una mattina il miracolo. Un uomo di mezza età che si presenta come il *signor Muslimović*, cappotto pesante, poche parole. Mi ha visto per settimane in fila davanti all'ambasciata e dice di essere la soluzione a tutti i miei problemi. Mi fa intendere di avere gli agganci giusti e di poterci procurare due visti falsi per la Svizzera. Mi porta in un bar poco lontano, mi offre un bicchiere di rakija e mi rassicura dicendo che adesso serve solo un anticipo mentre il resto lo pagherò alla consegna. Torno a casa con il cuore leggero di chi ha ricevuto una nuova speranza e la testa appesantita da mille esitazioni. Avevo vissuto troppe delusioni per pensare che la fortuna ci avesse davvero scelto. Quei soldi erano tutti i nostri risparmi, erano più che una scommessa, erano l'ultimo disperato azzardo possibile.

Passammo i giorni prima dell'appuntamento a raccogliere ogni informazione sul signor Muslimović e i suoi servizi, ricerca non facile nella Belgrado del 1994.

Oggi, di fronte a questa strada vuota, mi accorgo di come potesse suonare sospetto cercare notizie su un falsario di documenti. In quel clima di diffidenza era infatti impossibile avere informazioni certe e sicure. Ma eravamo troppo disperati per starci a pensare sopra. I pochi dati che eravamo riusciti a raccogliere erano confortanti: un commerciante di carni ci aveva assicurato che un suo lontano cugino si trovava al momento in Germania grazie ai documenti fornitigli dal signor Muslimović. Decidemmo di andare all'appuntamento tutti insieme, sicuri che, se anche si fosse trattato di una truffa, vedendoci, nessuno avrebbe avuto il coraggio di rubare gli ultimi risparmi a qualcuno nelle nostre condizioni. L'incontro ebbe luogo in un bar mal illuminato alla periferia di Belgrado. Stavolta il signor Muslimović parve più affabile e meno circospetto della volta precedente. Vestiva ancora lo stesso cappotto scuro e sedeva da solo a un tavolo lontano dal bancone. Non pareva disturbato dal fatto che fossimo presenti tutti e tre, una famiglia con una bambina piccola in un bar frequentato da pochi vecchi agricoltori, e fece molti complimenti a Sanja che dormiva. L'accordo era semplice: pagavamo la metà adesso e l'altra metà al momento della consegna. Non ritirava i nostri passaporti, che ci sarebbero serviti per entrare nella Repubblica di Srpska, ma una volta arrivati a Bijeljina ce ne avrebbe procurati di nuovi con false generalità e il visto. Spiegò come in quel momento la Repubblica fosse terra di nessuno: saremmo entrati facilmente senza dare troppo nell'occhio mentre un corriere che si fosse recato a Belgrado con due passaporti falsi avrebbe rischiato grosso. «La Bosnia ormai non esiste più e i territori sotto il controllo serbo offrono strade relativamente sicure.» Non feci troppe obiezioni, lo interpretai come un segno rassicurante: se voleva ingannarci non ci avrebbe fatto fare tutta quella strada fino a Bijeljina, o così mi piacque pensare.

L'appuntamento era fissato per dieci giorni dopo. Decidemmo di viaggiare tutti e tre. Non mi sentivo a mio agio a lasciarle sole a Belgrado e la strada da percorrere era breve e apparentemente sicura.

Partimmo un paio di giorni dopo su un camion diretto verso la Semberija, le strade deserte. Qualche posto di blocco qua e là. Quando ci interrogavano facevamo riferimento a un viaggio verso Zvornik per convincere mia suocera a venire con noi a Belgrado. Nessuno sollevò obiezioni a una giovane coppia diretta verso il centro del conflitto con una neonata. Arrivati a Bijeljina trovammo da dormire in una casa. «Potete prendere la camera di mio figlio se vi stringete,» disse la donna, «sono ormai sei mesi che è partito» e sull'argomento non ci fu altro da aggiungere.

Sono quasi due ore che aspetto in questo bar buio, ma potrebbero essere due anni. Irina veglia Sanja che dorme, a poche centinaia di metri da qui. Mi sembra di sentirne il cuore battere sempre più forte ogni volta che un'ombra si avvicina alla porta, fino a fermarsi quando capisce che non si tratta di me. La rassegnazione che aumenta a ogni minuto che passa. Chissà se Irina piange quando io non ci sono, chissà se anche lei ha già capito che non tornerò con i passaporti nuovi. Non avrei mai pensato che mi sarei trovato un giorno a sperare che i serbi vincessero al più presto la guerra. Come vorrei non dover tornare da Irina a mani vuote. Come vorrei che la guerra non ci fosse, come vorrei essere di nuovo a casa, a aspettare che Sanja impari a camminare.

Forse il signor Muslimović ci ha ingannato o forse il suo corriere è stato scoperto con una borsa piena di passaporti, adesso non importa. Adesso che la realtà ha preso il sopravvento su ogni fantasia, adesso che ogni minuto mi avvicina alla certezza che non arriverà nessun passaporto, adesso mi sento solo uno stupido che pensava che la guerra non lo avrebbe raggiunto, che l'avrebbe sentita solo nei racconti di chi era partito. Come vorrei che domani mattina non arrivasse mai, come vorrei non dovere indossare un'altra divisa.

Dirk

Sono uguali, sono tutti uguali, è una guerra tra poveri. Liberissimi, dico io, ma perché abbiamo deciso di metterci in mezzo?

Adesso che anche la benzina è razionata non ci resta che pattugliare la città a piedi, risparmiandola per i mezzi di stanza nei posti d'osservazione sulle colline circostanti. La ronda ridotta a camminate senza meta in un panorama urbano desolante, tra ruderi di povere case, le mura crivellate da fori di proiettili. Non siamo certo un deterrente per quelli che ci osservano dalle colline, né tantomeno offriamo un vero servizio antisciacallaggio, dato che gli unici oggetti di valore rimasti, in questa città allo stremo, sono quelli che ci portiamo addosso.

Come se non bastasse, stavolta sono finito di pattuglia con un tipo che conosco poco, tale Frank. Un bravo ragazzone con poco umorismo e un eccessivo senso del dovere. Tiene il mitra come da protocollo, il dito fisso sul grilletto, all'erta, come se ci fosse davvero pericolo, come se avesse ancora una qualche importanza. La verità è che siamo diventati parte integrante di questo paesaggio, perfino i bambini hanno perso interesse da quando hanno realizzato che siamo rimasti a corto di caramelle.

Portarsi tutta l'attrezzatura con questo caldo umido è un supplizio: giubbotto e elmetto ci fanno affogare nel sudore e sono inutili visto che l'unico pericolo reale è una granata lanciata da una delle colline circostanti. Una delle tante idiozie di questa nostra situazione. Noi non ci facciamo più domande e continuiamo a eseguire ordini, sfilando per questo carnevale in tuta blu.

Alla fine della strada principale staziona un'unità con due blindati. Accenniamo un saluto: «Tutto bene?» chiede Frank. «Al solito» risponde il soldato di guardia. «Foxtrot ha segnalato un po' di movimento dalle sue parti.» «Probabilmente il generale sta giocando a risiko» ribatto io in tono scherzoso. «Sì, credo anch'io» risponde il soldato di stanza accennando un mezzo sorriso. «Domani mi tocca il turno lassù» concludo. «Non preoccuparti, ci penso io.»

Salutiamo e ritorniamo indietro, incamminandoci ai lati della strada che porta alla base. Avanziamo in silenzio per circa una decina di minuti, finché, senza preavviso, Frank mi fa segno di girare verso destra, in una viuzza apparentemente disabitata, scodinzolando come un cane che ha fiutato qualcosa di saporito.

«Dài, Frank,» gli rispondo svogliato «lo sai benissimo che là non c'è niente. Non è rimasto niente da controllare da nessuna parte! Siamo solo qui a aspettare, quindi torniamocene alla base a giocare a backgammon.»

«No, no, che hai capito Dirk,» ribatte Frank in tono circospetto, «tre case più in là c'è una che fa dei pompini incredibili.»

Lo guardo sorpreso. Forse questo Frank non è poi così scemo come sembra.

Lo seguo in una traversa semidistrutta, le erbacce che ormai infestano i bordi della strada. Frank bussa a una porta ormai scardinata. Dentro si sentono dei rumori e dopo un momento la porta si apre. Entriamo.

Avanzo a fatica in una stanza scura, le persiane sigillate. I miei occhi hanno bisogno di qualche secondo per passare dalla luce del sole di luglio al buio di questa cassa da morto. È una casa minuscola, semivuota, pochi mobili ormai consumati dal tempo.

La padrona di casa siede in un angolo. Una figura esile, avvolta in un vestito nero. Un viso dai lineamenti dolci, i capelli tagliati a zero.

«Ehi, Frank,» domando «non avrà mica i pidocchi?»

Frank ride di gusto alla mia domanda. «Non ti preoccupare, la manteniamo bene la nostra piccola» risponde orgoglioso. Apre lo zaino e tira fuori farina, olio, zucchero e qualche scatoletta di quelle che mi tocca mangiare ogni giorno. «OK?» scandisce lentamente come se parlasse con una sorda. «OK?» ripete indicando ripetutamente entrambi.

La ragazza pare non guardare le provviste che Frank ha ammassato sul tavolo, accenna un sì con la testa fissando dritto davanti a sé, senza fiatare.

Frank prova incerto a accarezzarle il viso, ma lei si ritrae, senza proferire una parola.

«Perfetto,» dice Frank sfregandosi le mani «vuoi andare prima tu, Dirk?» mi chiede facendo un segno in direzione della camera accanto. «No, no, vai prima tu» rispondo spiazzato da questo improvviso evolversi degli eventi. Frank non se lo fa ripetere due volte e sparisce insieme alla padrona di casa dietro la tenda nera che divide l'ingresso dalla camera.

Aspetto nel corridoio con il mitra in mano, curiosando in giro per allontanare la noia. Non c'è molto da vedere, si tratta di un corridoio spoglio con la vernice che si sta lentamente scrostando. In che stato di bisogno deve trovarsi una donna musulmana per prostituirsi con i soldati olandesi? Uno dei tanti mariti partiti al fronte e tornati in una bara, celebrato ancora nel lutto che soffoca la casa. Probabilmente tutti nel vicinato ne sono al corrente, ma col passare del tempo la fame è troppo brutta e il domani troppo incerto per curarsi di quello che pensano i vicini. Non c'è domani in questo luogo, la sopravvivenza è l'unica priorità e la reputazione un lusso da permettersi in tempo di pace.

Il flusso dei miei pensieri è interrotto dal ritorno di Frank. «Avanti il prossimo» mi dice, sorridendo soddisfatto. Entro titubante in quella che sembra la camera: un letto in ferro battuto, un armadio tarlato, un comodino con una piccola lampada. Bisognerebbe dare aria a tutta la stanza per farne uscire la morte che vi abita. La padrona di casa si sta lavando il viso in una bacinella di plastica blu. Mi fa cenno in silenzio di sedermi. Obbedisco, il materasso è di pessima qualità, sento ogni molla sotto di me, una a una. Continuo a guardarmi intorno mentre appoggio il mitra, il giubbotto e l'elmetto sul letto, cercando di evitare di fissarla.

La donna si avvicina e si inginocchia a lato del letto, cominciando a aprirmi la patta dei pantaloni. Sono di nuovo preso alla sprovvista dall'evolversi degli eventi e mi imbarazzo scoprendomi eccitato mentre infila la mano nelle mutande. Troppo tempo che non sfioro una donna. Proprio mentre percepisco la sua bocca sul mio corpo, Frank tira lo sciacquone nella stanza accanto.

Non ci sono dubbi, è uno di casa ormai.

Abbasso lo sguardo e vedo la testa muoversi in maniera ritmica su di me, i capelli così corti da non nascondere più la calotta cranica, mentre l'eccitazione diminuisce ogni momento che passa.

Deve essere stata bella.

Sento i passi di Frank in corridoio, chiudo gli occhi e cerco di venire il prima possibile, perché questo squallore abbia fine. Provo a allontanare il pensiero di Christine, ma più mi sforzo e meno ci riesco. Tutto sta avvenendo in maniera meccanica. Mi chiedo quanti miei colleghi siano passati di qui. Mi sforzo, cerco di ricordare come fosse, come fosse tutto questo prima. E finalmente vengo, ma senza gioia, in maniera strozzata, con vergogna. Si ferma, la guardo, non ha mai aperto gli occhi.

Si allontana da me a testa bassa, sempre senza proferire parola. Rimango immobile per un secondo, poi mi sistemo meglio che posso e esco in silenzio. Avrò passato cinque minuti scarsi in quella stanza durante i quali nessuno dei due ha fiatato.

«Vedi cosa ti organizza il tuo Frank?» mi accoglie in tono soddisfatto. «Ne valeva la pena, non è vero Dirk?» aggiunge sottolineando la battuta con una fragorosa pacca sulla spalla. «Sì, sì, Frank, ma adesso torniamo alla base» mi affretto a uscire dalla stanza, assalito da una sensazione di sporco che non riesco più a nascondere.

«Goodbye!» urla Frank chiudendo la porta. Non un suono esce dalla camera.

Romeo

Guardandosi ora, seduto nel suo enorme ufficio vuoto, Romeo González si rese conto di come fosse bastata la prima riunione a dargli la certezza che quell'incarico non fosse altro che un modo discreto per metterlo da parte. Appoggiò il bicchiere sul tavolo e si sedette dietro la scrivania.

Al momento della nomina c'era cascato. A sua discolpa doveva riconoscere che all'inizio tutto era sembrato indicare il contrario: le decine di biglietti di congratulazioni, i titoli dei giornali, la notorietà dei suoi nuovi colleghi. Un ufficio enorme, bianco, ordinato. Nonostante quei mesi passati a riempirlo di carte processuali, anche adesso gli pareva identico a come lo aveva trovato il primo giorno.

Il pensiero lo fece scattare in piedi, come se la verginità di quella stanza gli rinfacciasse l'impotenza del suo ruolo attuale.

Non era certo per assenza di lavoro, erano le donne delle pulizie del Tribunale penale internazionale a essere particolarmente efficienti! Sorrise.

Appena arrivato si era sforzato di interpretare le dimensioni dell'ufficio come prova del suo nuovo *status*. In fondo non gli dispiaceva l'idea di un'esperienza all'estero, era sicuro che uscire dalla Spagna gli avrebbe giovato, allontanarsi così dai salotti bene, dagli stessi editorialisti pronti a scrivere sempre le stesse cose, il ruolo perfetto per avvicinarsi alla pensione in maniera più rilassata. Si chiese cosa avrebbe pensato suo padre nel vederlo diventare un personaggio pubblico. L'invito prima della partenza a quel noto talk show era stato l'investitura. Da quel momento, ogni parola di Romeo González sarebbe stata espressione della magistratura mondiale. Milioni di telespettatori avevano ascoltato l'intervistatore celebrare la sua carriera, esempio d'impareggiabili qualità morali. Seduto a pochi passi dal giornalista, le luci fisse su uno spesso strato di fondotinta, Romeo González si era riempito la bocca di parole rassicuranti nella loro perentorietà. Sedeva lì in modo da convincere il pubblico che non si sarebbe trattato di una nuova Norimberga, del vinto giudicato dal vincitore. Stavolta si trattava di giustizia, di giustizia vera. Stavolta era l'intera comunità internazionale a assicurarsi che chi si era macchiato di quegli orribili delitti pagasse.

Come suonava tutto meravigliosamente retorico. Applausi.

L'intervista era stata l'occasione per ripercorrere la sua carriera: i pochi mezzi durante la gioventù, il padre che si era spaccato la schiena per farlo studiare, i primi casi, le prime soddisfazioni e i primi rimpianti, le luci dei riflettori che cominciavano passo dopo passo a accendersi intorno a lui fino alla definitiva consacrazione grazie alle inchieste sul terrorismo legato al separatismo basco.

Un'intervista al sapore di miele: il giornalista compiacente voleva solo glorificare un esempio di mobilità sociale, metafora perfetta del boom economico che attraversava la Spagna di quegli anni. Romeo González era uno che ce l'aveva fatta, il figlio del panettiere diventato giudice della Corte penale internazionale. Era proprio per questo che sedeva lì: per raccontare di come fosse stato scelto per le sue competenze personali, ma soprattutto per dimostrare come la società spagnola contemporanea potesse offrire il successo a chi fosse disposto a impegnarsi con lavoro e dedizione. Dei fallimenti, dei dubbi, degli errori, dei vicoli ciechi non si sarebbe fatta menzione: le luci di quel talk show erano state puntate ben dritte sulla sua figura con l'intento di nascondere ogni ombra che la sua storia potesse portare con sé.

In fondo, allora, Romeo González credeva veramente in quello che stava dicendo. In più era sicuro che quella comparsata avrebbe reso felice sua moglie.

Sul taxi che lo riconduceva a casa ebbe per la prima volta il sospetto che quella promozione fosse in realtà un modo discreto di accantonarlo. Ai cittadini spagnoli, alla società civile internazionale, non interessava affatto la verità su quello che era successo a due ore di volo da casa. In compenso, dopo anni passati sulla cresta dell'onda, veniva allontanato da Madrid e dai titoli dei giornali, spedito in quella terra umida a seguire un caso sul quale si sarebbero presto spenti i riflettori. Avrebbe voluto poter dire di essere un magistrato scomodo in patria, ma quel suo trasferimento era piuttosto da interpretarsi come un normale avvicendamento generazionale.

Comunità internazionale? Non c'era voluto molto

perché Romeo González capisse che quando qualcosa dovrebbe interessare tutti finisce per non interessare a nessuno.

Cercò conforto nel fare due passi all'interno dell'ufficio ma la sua attenzione fu subito catturata dalla foto di gruppo appesa al muro: il giudice Mboko e la sua fissazione per le fotografie. Romeo González riteneva che non ci fosse stata invenzione più fastidiosa delle macchine fotografiche usa e getta: come togliere qualsiasi suggestione estetica a quella che una volta si poteva considerare un'arte. Era davvero necessario fare foto sempre e in ogni circostanza? Ricordare tutto non equivale a non ricordare niente?

Ovviamente non si sarebbe mai permesso di svelare un pensiero del genere in pubblico per non passare da reazionario. Già se la immaginava sua moglie a spiegargli *il diritto di tutti alla fotografia*. Scosse la testa. Quante cose non diceva perché non erano adatte al personaggio che il suo ruolo gli aveva imposto. Prese la cornice tra le mani: era stata scattata da un usciere all'inizio del processo, tutti in fila sorridenti come il primo giorno di scuola. Già in quell'occasione, guardando i suoi colleghi, il giudice González non aveva avuto la sensazione di trovarsi davanti all'intera *comunità internazionale*, né tantomeno alle sue menti più eccelse. I giudici Douglas e Lee parevano uno la caricatura dell'altra. Tanto vitaminico il primo quanto minuta l'altra. Il tailleur fucsia di Lee sottolineava l'insignificanza del completo grigio di Douglas. Romeo González sorrise immaginandoselo in una qualche fattoria del Midwest americano con in testa un cappello da cowboy.

Quello che il giudice Douglas e il giudice Lee mostrarono subito di condividere, però, era una concezione della giustizia per la quale la bilancia è un orpello da lasciar cadere per poter meglio stringere la spada con entrambe le mani. Il pugno ben chiuso, per loro la giustizia era una dea spietata priva di ogni tipo di benda. Se gliene avessero data la possibilità, infatti, avrebbero fatto giustiziare anche un ladro di saponette affinché fosse d'esempio per gli altri. Il giudice Douglas se ne sarebbe occupato personalmente in modo da assicurarsi l'efficienza dell'esecuzione. Guardando quella foto, González si rese conto di come fosse stato proprio il colore dei loro vestiti a averlo messo a disagio. Ancora adesso non riusciva a trovare le parole giuste per spiegarlo, ma il fucsia di Lee era troppo fucsia e il grigio di Douglas non era davvero grigio, era soltanto polveroso. González aveva sempre diffidato delle persone troppo stupide per essere in grado di distinguere le diverse tonalità del grigio che gli si presentavano davanti. Gli bastò comunque il primo incontro per capire che non avrebbe tratto nessun vantaggio dal metterseli inutilmente contro.

La riunione doveva offrire un primo sguardo di insieme sul conflitto, ma si era trasformata in un'esibizione di rapporti di forza. Douglas e Lee avevano preso subito il comando di quello che doveva soltanto essere un briefing conoscitivo, un incontro informale per vedere se tutti avevano fatto i compiti con diligenza. Per loro fu invece l'occasione di porre l'accento su parole che nei mesi sarebbero diventate il loro mantra personale: *genocidio*, *pulizia etnica* e *guerra di religione*, pareva non fossero in grado di dire altro.

Seduto dall'altro lato del tavolo il giudice Prunon giocherellava rumorosamente con gli occhiali, unico gesto di disapprovazione che il suo impeccabile galateo gli permetteva di esprimere. Era un uomo minuto, con un paio di occhialini tondi e un accenno di calvizie. Dopo tanti anni in servizio, Romeo González aveva capito che i giudici non hanno in testa la stessa cosa quando parlano di giustizia. Non dubitava affatto che avessero tutti intrapreso quella strada spinti da un interiore senso di equità, dal desiderio di ripristinare l'ordine nel mondo; in vent'anni di carriera poteva contare sulle dita di una mano i giudici che riteneva avessero scelto quella professione per puro e semplice arrivismo. Ma ogni giudice aveva un metro diverso, ognuno aveva una concezione della giustizia propria e personale che andava al di là di qualsiasi legge scritta.

No, quello che tutti i giudici hanno in comune, è un ego più sviluppato della media, il desiderio di essere sempre una primadonna. Dinamiche che aveva imparato a riconoscere ma che non avrebbe immaginato di trovare in un gruppo di giudici dalle carriere così prestigiose. Fu quindi sorpreso dal constatare che i colleghi sentissero ancora il bisogno di confrontarsi in modo così prevedibile e infantile. Per questo González si era sforzato di sembrare attento ma di non far trasparire alcuna emozione, niente che potesse essere interpretato come un segno di approvazione o disapprovazione. Non era il momento di farsi nemici di alcun genere, aveva pensato. Quello era il suo primo e unico caso assegnatogli in ambito internazionale e non aveva intenzione di mettersi in cattiva luce con nessuno.

Romeo González fu quindi ben lieto di trovare nel giudice Mboko un silenzioso alleato. Gli occhi sul blocco degli appunti, entrambi si appropriarono in maniera disinvolta del ruolo di spettatori. Nessuno in quella stanza lo avrebbe mai ammesso, chi per amor proprio e chi per rispetto nei confronti di colleghi tanto titolati, ma si trattava di un caso minore, un paragrafo in un libro così ampio e drammatico da rendere il fatto trascurabile, quasi insignificante.

Ripensandoci quella mattina, Romeo González si rese conto che di quell'interminabile riunione ricordava soltanto le puntuali osservazioni di Prunon. Pareva avere sempre il documento giusto sottomano, sfilato dalla pila caotica di carte alla sua destra. Guardandolo, González si era sentito del tutto impreparato.

Aveva passato i due mesi precedenti al suo trasferimento in Olanda come in apnea, sospeso tra problemi logistici e familiari a causa dei numerosi viaggi a Madrid per presenziare alle diverse tappe del trasloco di Silvia e Juan nel loro nuovo appartamento in centro. «Genitori presenti senza essere invadenti» era sempre stata la politica impostagli da sua moglie; politica che in questo caso si era concretizzata in interminabili passeggiate in centri commerciali alla ricerca di mattonelle dalle sfumature più svariate.

Davanti a Prunon si rese conto di come la sua conoscenza del conflitto fosse davvero prossima a quella dell'uomo medio, ovvero una via di mezzo tra il superficiale e il poco informato. Troppa storia, troppi popoli, troppo sangue. Quell'incontro conoscitivo stava scivolando in una sfida tra diverse letture di una vicenda che Romeo González non conosceva abbastanza a fondo per poter giudicare. Quello che si rese conto di provare era una sincera compassione per quel suo tanto infervorato collega francese. Avrebbe presto capito, pensò, che la storia ufficiale di quel conflitto era già stata scritta altrove e loro erano stati messi lì soltanto per prenderne atto, per apporre un sigillo in ceralacca. Il loro era un piccolo caso da sbrigare in fretta, niente che avrebbe mai occupato le prime pagine dei giornali. Lo stesso Prunon notò ben presto che le sue osservazioni non avevano seguito e, afflosciandosi nella poltrona, si unì al silenzio del giudice Mboko e di Romeo González.

Invece per Douglas la questione era semplice: si trattava di una guerra etnica, di una lotta tra il bene e il male, non c'era alcun dubbio a riguardo, e questa era la sola e unica lente attraverso cui interpretare il caso. Ciò avveniva alla vigilia della prima udienza, prima della lettura dell'accusa, prima che le carte fossero mischiate nel mazzo.

Quella mattina Romeo González si sforzò di ricordare le sensazioni di allora sul caso, ma si rese conto di non essere più in grado di separare i suoi ricordi da quello che era accaduto nei mesi successivi.

Fuori pioveva, aveva mai smesso da quando si era trasferito in quella terra umida? Mancavano quattro ore alla sentenza e per la seconda volta nella mattinata, si sentì squallido.

Dražen

Il centro di reclutamento si trova nella palestra umida di una scuola elementare. Irina non ha capito perché sono venuto qui; come potrebbe. Lei che si era innamorata di un capellone estroverso con la chitarra in mano e si trova adesso a vederlo con la terza divisa indosso. In fondo, a chi dovrei fare la guerra, io? Io che dovrei essere considerato un vero jugoslavo, un pezzo quasi unico. Sono nato a pochi chilometri da qui, nella parte a maggioranza serba della Bosnia Erzegovina da genitori croati. Non che questo facesse una grande differenza per me. La mia generazione non si è mai domandata se la ragazza con la quale uscivamo fosse serba o croata, o se il compagno di squadra fosse musulmano. Certo, sapevamo chi osservava il Ramadan e chi festeggiava il Natale, ma il paese dove sono nato è troppo piccolo perché ci permettessimo di non frequentare qualcuno per dettagli del genere.

Siamo una ventina in fila, tutti molto giovani, è evidente che stanno raschiando il fondo del barile. In un momento come questo fare il soldato è l'unico mestiere sicuro. Se sei dalla parte giusta sai che tua figlia avrà sempre da mangiare e che nessuno toccherà tua moglie. Troppo pochi i soldi rimasti per ascoltare le obiezioni di Irina. La guerra non durerà tanto, devo solo stare attento a non fare cazzate e sarò presto a casa. Non sono un eroe e non ho intenzione di diventarlo adesso.

La mia terza divisa. A diciotto anni, durante il servizio di leva, mi addestrai in quel minestrone che era l'esercito jugoslavo. Iniziai nel gennaio del '90, e fui assegnato a una base a pochi chilometri da Sisak. Era la prima volta che prendevo in mano un fucile, se si escludono le rare battute di caccia alle tortore con mio nonno. Il 13 maggio era una domenica. Libera uscita solo il sabato, ma la domenica non ci pesava, dato che potevamo guardare la partita tutti insieme in caserma. C'era una piccola televisione in sala mensa, appoggiata su un ripiano a due metri dal suolo. Quella sera al Maksimir si giocava Dinamo Zagabria-Stella Rossa di Belgrado. Non sono mai stato un grande appassionato di calcio, ma avevo imparato che nell'esercito è importante farsi piacere quello che piace agli altri se non vuoi trovarti da solo. Nell'esercito non conviene giocare a fare i diversi, bisogna stringere più rapporti possibili se si vogliono passare dei mesi sereni. Inoltre, guardandomi con gli occhi di adesso, mi accorgo di avere sempre sentito il complesso del diciottenne proveniente da un piccolo paesino di campagna che della vita aveva sperimentato ancora poco. Da giorni si parlava della partita. C'erano già stati disordini l'anno prima a Belgrado e la paura che la recente elezione di Tuđman avesse ulteriormente scaldato gli animi era davvero tanta. Allora non mi interessavo di politica e non sospettavo ancora che saremmo stati tutti costretti a interessarcene di lì a poco. Cresciuta dopo la morte di Tito, la mia generazione era molto più interessata alla separazione dei Police che a quella della Repubblica Jugoslava. Federazione, confederazione, parole molto, molto lontane dai nostri pensieri.

Mi viene in mente il giorno in cui iniziò la mia presa di coscienza di quello che stava realmente succedendo nel mio paese. Forse non compresi, ma sentii chiaramente che qualcosa era cambiato. Ricordo l'invasione di campo dei tifosi croati e Boban, capitano della Dinamo Zagabria, girarsi, alzare la testa, prendere la rincorsa e saltare davanti al poliziotto colpendolo con un calcio sul viso, difesa istintiva rispetto a quello che stava succedendo. Di tutti i disordini che ebbero luogo quel giorno, dei militari in tenuta antisommossa, dei feriti stesi a terra, di tutto ciò, io ricordo solo Boban e il suo calcio al volo.

Mi sono spesso domandato se Boban fosse cosciente delle conseguenze del suo gesto, se si rendesse conto di quello che avrebbe significato. Probabilmente no. Quel calcio, trasmesso e ritrasmesso in televisione, avrebbe finito per assumere una vita propria, per diventare un qualcosa di esterno e autonomo rispetto al suo autore e alle sue reali intenzioni. Quel calcio imponeva che prendessimo una posizione, a quel calcio non si poteva rimanere indifferenti.

Boban in quel momento era diventato paladino della nazione croata, la decisione era stare dalla parte di Boban o dalla parte del poliziotto: decidere, come diceva Tuđman, se la Croazia aveva davvero ragione di esistere o se, come già urlava Milošević, la vecchia Jugoslavia dovesse andare avanti così com'era.

Quel calcio diventò l'unico argomento di discussione durante i pasti nei giorni che seguirono. Per la prima volta nella storia dell'esercito jugoslavo, fino a allora principale palestra per la creazione della nazione, fecero la loro comparsa espressioni come *turco* o *croato*, appellativi dispregiativi che cominciarono a tracciare invisibili confini tra noi commilitoni. Fu, credo in quella occasione, che molti dei miei compagni si scoprirono *croati* o meglio *figli della nazione croata*, come li definiva in quel periodo il nuovo primo ministro Tuđman. Ricordo come si sentirono toccati nel profondo, anche se, con gli occhi di adesso, mi pare di poterlo interpretare come un'infatuazione giovanile, come il desiderio di definirsi attraverso una presunta diversità, piuttosto che una vera e propria convinzione politica. Fatto sta che in poche settimane ognuno sentì il bisogno di schierarsi dalla propria parte e si dichiarò pronto a imbracciare le armi nel caso che le sue richieste non fossero accolte. Fedele al mio desiderio di invisibilità, assistevo a lunghe discussioni in silenzio, cercando di separare i contendenti quando finivano per venire alle mani. Ripensando adesso agli ultimi mesi del mio servizio militare, ho un ricordo molto sfocato, come se stessi osservando la mia vita da spettatore, senza prenderne parte. L'unico sentimento ancora nitido è l'ansia di ritornare a casa il più presto possibile.

La seconda divisa mi sfiorò appena, tanto poco la indossai. Ero rientrato dal servizio di leva quando cominciarono le prime avvisaglie del conflitto serbo-croato e, provenendo da un paesino di confine, fui convinto a arruolarmi nelle file croate per il timore di essere costretto a entrare a far parte di quelle serbe dove stava già confluendo la maggior parte delle reclute e dei mezzi in dotazione all'esercito jugoslavo. Fui sopraffatto dagli eventi: non si trattò di una scelta identitaria, quanto piuttosto di una naturale empatia nei confronti di quello che considerai l'aggredito. Non ero certo un sostenitore della disgregazione del paese dove ero nato, non vedevo alcun motivo per cui gli sloveni si fossero all'improvviso riscoperti tali, ma lo ero ancora meno di una qualsiasi forma di conflitto, soprattutto di quella che da subito mi apparve come una guerra fratricida. Se la maggior parte dei croati o degli sloveni voleva proprio andarsene, doveva avere la possibilità di farlo, senza che per questo ci sparassimo tra di noi. Gli eventi avevano preso la mia generazione di sorpresa: i primi segnali ci erano sembrati poco più che schermaglie, da liquidare come la voce grossa dei soliti politici preoccupati di tenersi la poltrona. Perfino quando sentimmo gli echi dei primi spari continuammo a pensare che si trattava di una tensione passeggera. Gli sloveni magari se ne sarebbero pure andati ma il resto della Jugoslavia era etnicamente troppo misto per tracciarvi un qualsiasi confine.

Fu questo il motivo per cui molti della mia generazione non presero subito sul serio lo scoppio della guerra. Arruolarsi in un esercito o in un altro sembrava poco più dell'adesione di un tifoso a una squadra piuttosto che a un'altra. Posi quindi una firma in calce al formulario per il reclutamento e rimasi in attesa di essere chiamato, continuando la mia vita come niente fosse, dormendo nel letto nel quale avevo passato ogni notte della mia infanzia.

Ero ancora in attesa di collocamento quando rientrarono i primi reduci dalla battaglia di Vukovar. Per la prima volta incontravo qualcuno tornato da una guerra che non fosse quella di liberazione dai nazisti. Raccontarono di una città rasa al suolo, di una furia cieca che niente aveva a che fare con la sopravvivenza della Jugoslavia, di un odio sconosciuto e del quale faticavo a spiegarmi la provenienza. Prima ancora che la televisione bombardasse le nostre case con le differenti interpretazioni dell'accaduto, prima che ognuno si facesse un'idea a proposito, furono i volti di quei soldati che mi convinsero a non partire per combattere una guerra nella quale non credevo. Seduto a ascoltare, le gambe incrociate, non cercai nemmeno di indagare se i loro racconti corrispondessero o meno al vero: le storie sussurrate di orrori e massacri che accompagnavano le foto di una città distrutta, la propaganda del comando maggiore mirata a motivare le nuove reclute, ogni singolo aspetto di quella situazione non fece che rafforzare in me la certezza che quello non fosse il mio posto: la guerra era forse vera, ma io non ero pronto a combatterla.

Quella notte me ne tornai a casa deciso a non indossare mai più una divisa.

Il comandante stringe adesso la mia richiesta di arruolamento con le due mani, ma pare non interessarsene. Continua a guardarmi in silenzio mentre il soldato alla sua destra stila il verbale. Forse sta cercando fedeltà nei miei occhi, attaccamento alla patria, o forse vuole solo testare la mia tempra. Fatto sta che con quella faccia da duro e quello sguardo fisso mi pare solo patetico: chi voleva arruolarsi per convinzione l'ha sicuramente fatto molti mesi fa, quelli che sono in fila sotto il neon di questa piccola palestra di campagna non sono altro che giovani disperati alla ricerca di un compenso sicuro. Un foglio ingiallito e un timbro deciso certificano la mia nuova vita. «Dražen Erdemović, data la tua giovane età e le tue precedenti esperienze, abbiamo deciso di assegnarti al Decimo battaglione sabotaggio; comincerai domani stesso.»

Dirk

Nessuno ha mai amato le *gite in campagna*. Non le amano i soldati con famiglia, perché si tratta pur sempre del fronte che, per quanto immaginario, resta comunque il punto più esposto a quel nemico nascosto nei boschi. Non le amano gli entusiasti, i convinti che la nostra presenza sia un impegno gravoso ma necessario, odiano il tedio che li fa sentire insignificanti. Vivono il turno nei posti di osservazione come un promemoria del fatto che il nostro fronte consiste solo in una serie di strutture mal fortificate da cui controllare mortai che non sparano in realtà a nessuno.

Io devo ammettere che non mi dispiace il turno al punto di osservazione, soprattutto d'estate. Rispetto al fetore di Potočari pare davvero di essere in villeggiatura. Aria di montagna, non dovere avere a che fare con gli indigeni, allontanare la sensazione di estraneità che ti assale: un momento di relax, pochi soldati impegnati a cuocere grigliate e a guardare da un cannocchiale cosa fanno gli assedianti. Un gioco delle parti nel quale noi manteniamo il bandierone blu ben alto, in modo da essere sicuri che la quotidiana dose di granate non ci finisca per sbaglio in testa.

Foxtrot è un piccolo angolo di paradiso sulle montagne: una torretta, più una tenda nel piazzale adiacente circondato da un muro con fitto filo spinato. Ci arriviamo per sentieri boschivi e strade sterrate. Il viaggio è breve, l'enclave non è che quindici chilometri in tutto. Mi sorprendo a ammirare la bellezza del paesaggio, le colline verdi nonostante l'estate, uno scenario molto diverso dalla monotonia della campagna olandese.

Il cambio è affare veloce, i tre salgono sulla camionetta accennando un saluto stanco.

C'è qualcosa di rassicurante in questo luogo, mentre la situazione a valle peggiora mese dopo mese, giorno dopo giorno, i posti d'osservazione rimangono intatti, ultime oasi circondate dal caos. Foxtrot si trova a nord dell'enclave. Il comandante Brandsma ci saluta rapidamente e riprende a scrutare con il cannocchiale. Mi offro di salire in torretta, non ho troppa voglia di rimanere a sentire gli altri soldati smoccolare mentre giocano a carte.

La torretta è il centro dell'accampamento. Bassa, meno di una decina di metri da terra, coperta da un piccolo tetto e difesa da ogni lato da pochi sacchi di sabbia. È l'essenza di Foxtrot, il motivo stesso della sua esistenza. Funge da osservatorio e ospita due persone più una mitragliatrice anticarro. Trovo Raviv appoggiato alla mitragliatrice, le braccia conserte. Conosco Raviv abbastanza bene, siamo arrivati con lo stesso scaglione. Il contingente conta più o meno quattrocento militari, una grande famiglia creatasi controvoglia. Raviv è un tipo tranquillo, non cerca grane e non ne dà. Ha a casa due bambini piccoli e non ha intenzione di fare niente che gli faccia rischiare la pelle. Gli offro una sigaretta ma la allontana ringraziandomi. Parla con calma, scrutando l'orizzonte distratto. Discutiamo dei punti di osservazione, ammette di avere per lungo tempo odiato questo tipo di turno, in particolare quando implicava la convivenza forzata con qualche collega poco piacevole: troppo poco spazio per tenere alla larga i commilitoni rompicoglioni. Aveva cominciato poi a vederne gli aspetti positivi. «O forse siamo noi a essere migliorati» mi dice sorridendo. Mi chiede come vanno le cose al campo, mi stringo nelle spalle. «Sarei dovuto rientrare anche io oggi,» mi dice «ma c'era un tipo che si diceva claustrofobico e allora ho accettato di cambiare turno. In fondo non mi dispiace rimanermene un'altra settimana quassù.» Passiamo qualche ora tranquilla a raccontarci piccole storie, a parlare del più e del meno.

«Non avrei mai pensato che mi sarebbe mancata la cucina di mia moglie,» ride «pensa che ho nostalgia perfino dei fine settimana a casa di mia suocera.»

Mi siedo per terra mentre Raviv mi racconta dello stufato della domenica. Appoggio la testa sulla mitragliatrice e lo vedo. Caldo, succulento. Vedo le patate e vedo la salsa di accompagnamento. Per un momento è come se fossi anche io seduto a casa di Raviv, vedo la signora che mi chiede se voglio ancora patate. C'è il sole e Christine e Eleonore giocano in giardino con i figli di Raviv.

È un suono sordo a risvegliarmi. Un'esplosione lontana, come se qualcuno ci avesse appoggiato sopra un cuscino per non spaventare i bambini che ancora giocano nei miei pensieri.

«Ricominciano a giocare con i fuochi d'artificio» dice Raviv facendosi improvvisamente serio. Il secondo colpo di mortaio mi fa saltare in piedi, le mani sulla mitragliatrice.

«Che cazzo fanno?» urla Raviv. «Quello era carico!» Non fa in tempo a finire che ne cade un altro.

E poi un altro.

Continuano a cadere intorno al perimetro del nostro avamposto, senza toccarlo, facendolo però tremare tutto. «Cosa minchia si sono messi in testa?» urla Raviv nella radio. «Se qualche stronzo sbaglia di qualche metro siamo tutti fottuti!» Ci sediamo per terra riparandoci dietro i sacchi. Guardo Raviv che ascolta nella trasmittente quello che dalla mia posizione è solo un gracchiare incomprensibile. Intorno le esplosioni si fanno sempre più fitte, sento a malapena le imprecazioni degli altri soldati sotto di noi, in preda a un fuggi fuggi spaventato. Raviv scivola a terra, la schiena sui sacchi.

«Allora?» gli urlo innervosito dal suo silenzio.

«Allora cosa?» mi risponde come rassegnato. «Aspettiamo ordini dalla base,» aggiunge «d'altronde che altro abbiamo fatto, da quando siamo arrivati, se non aspettare?»

Premo la schiena sulla barricata e porto le ginocchia al petto in maniera istintiva, la testa fra le gambe, rimpicciolendomi, cercando di sparire. Intorno i colpi di mortaio cadono sempre più fitti, nessuno di noi reagisce, nessuno di noi ha più il coraggio nemmeno di bestemmiare. Siamo tutti in attesa, in silenzio.

Passa forse un minuto, forse meno, e le esplosioni iniziano a rallentare. Raviv striscia fino al cannocchiale e si mette in ginocchio a scrutare il nemico.

«Merda!» urla. Non faccio in tempo a chiedere spiegazioni che sta già sbraitando nella ricetrasmittente: «Siamo sotto attacco! Stavolta siamo davvero sotto attacco». Ha il fiato corto: «Cosa? Cosa stanno aspettando? Li hai visti! Ci sono due carri armati in avvicinamento a nord-est! E io che faccio?».

Rimango impietrito, Raviv lancia la radio per terra in un impeto di nervi. Sono impassibile, immobile. Mi immagino cosa stanno pensando quegli stronzi al quartier generale.

Il mandato: non possiamo sparare, sparare significherebbe prendere posizione in questo conflitto.

Finché non ci ammazzano noi non possiamo rispondere.

Respiro profondamente, guardo il cannoncino a pochi centimetri da me. Meglio così, mi farebbero fuori prima che possa sparare il secondo colpo.

Immagino il generale Karremans al quartier generale di Sarajevo. «State esagerando,» tranquillizza il comandante di Foxtrot «non si tratta d'altro che della solita scarica giornaliera di granate, devono solo registrare la mira.»

Lo immagino aspettare nostre notizie alla radio, sicuro che presto gli annunceremo che tutto è tornato alla normalità. E invece Foxtrot richiama e gli dice che non solo continuano a giocare al tiro al piattello, ma ci sono anche due carri armati in avvicinamento.

Chissà se sta finalmente perdendo la calma nel suo ufficio ben riparato a Potočari? Chiamerà il suo superiore al quartier generale a Sarajevo? Domanderà? Si informerà se sia il caso di difenderci, di richiedere l'intervento aereo? Immagino che la catena di comando gli spiegherà che si sta sbagliando: perché dovrebbero attaccare proprio adesso che il processo di pace è giunto a una svolta?

Karremans se ne convincerà di sicuro, in fondo è quello che stava domandandosi anche lui.

E intanto le granate continuano a caderci intorno.

«Si avvicinano,» ha ricominciato a urlare Raviv nella radiotrasmittente «lo so che li vedi anche tu! Sono ormai a meno di un chilometro!» Sbatte di nuovo la radiolina a terra e si risiede accanto a me, trema, «Io sparo, Dirk, non mi faccio ammazzare così, senza neanche combattere». Gli prendo il braccio: «Stai calmo Raviv, ti prego, seguiamo gli ordini e torniamo tutti a casa».

Prendo in mano il cannocchiale e sporgo la testa quel tanto che basta per vedere cosa sta succedendo. «Si sono fermati, che ti dicevo Raviv?»

«Fammi vedere» mi interrompe alzandosi in piedi. Non faccio in tempo a fermarlo. «La torretta…» è un grido strozzato «stanno puntando verso di noi.» Cerco di afferrarlo ma è già troppo tardi, Raviv sta già caricando l'anticarro.

«Non fare cazzate Raviv» gli urlo quasi supplicandolo. «Quali cazzate?» risponde prendendo la mira: «Aiutami o spostati! Lo sto facendo per tutti e due, a chi pensi spareranno per primi? Fanno fuori noi e poi prendono la base.»

Non ribatto, non ne ho modo. All'improvviso i colpi di mortaio cessano. Rimaniamo immobili ai due estremi del cannoncino. I carri armati hanno ancora le bocche da fuoco puntate verso di noi.

Tratteniamo il respiro per qualche secondo. Ci fissiamo, i nostri occhi rivelano, uguali, i nostri pensieri: se non ci sparano adesso l'abbiamo scampata anche questa volta.

E non ci sparano.

Rimangono lì, immobili, forse volevano solo dimostrare chi comanda, ricordarci che siamo vivi solo perché loro ancora lo vogliono.

Ma non importa, adesso non importa. Tolgo l'elmetto e mi passo una mano tra i capelli: solo ora mi rendo conto di quanto sia sudato. Raviv si è lasciato cadere accanto all'anticarro.

Si slaccia tutto, si toglie l'elmetto, il giubbotto antiproiettile, cerca di respirare profondamente, di riprendere il controllo.

Mi avvicino, «Ehi, stai tranquillo,» gli metto una mano sulla spalla «va tutto bene, respira, andrà tutto bene, ce la siamo cavata anche stavolta». Mi faccio coraggio e guardo fuori.

I carri armati sono ancora lì, immobili.

Romeo

Appoggiato al vetro della finestra, Romeo González ripensò a Joris Voorhoeve e per la prima volta si rese conto di invidiarlo. Se proprio la storia doveva sfiorarlo, se proprio doveva giocare un qualche ruolo in questa grande farsa, avrebbe almeno voluto farlo anche lui in maniera inconsapevole, senza provare quel senso di grigio che lo assediava.

L'8 luglio 1995 Joris Voorhoeve stava aiutando suo figlio a traslocare nel suo nuovo appartamento a Groningen, nel nord dell'Olanda. Primo anno di università, la partenza dal focolare domestico. Gesto apprezzabile in fondo, non riusciva a immaginarsi nessuno dei ministri del suo paese passare il sabato mattina a aiutare il figlio a traslocare. Il ministro della difesa olandese non si era certo sorpreso della chiamata: il pur lodevole impegno familiare non poteva cancellare i doveri di governo.

Chissà chi fu a dare la notizia a Joris Voorhoeve.

La storia racconta che al ministro fu comunicato che nell'enclave si sparava. Gli fu assicurato che si trattava di roba di poco conto, intimidazioni, provocazioni da parte dell'esercito serbo. Joris Voorhoeve avrà chiesto se fosse necessario il suo rientro all'Aja. Erano stati infatti gli olandesi a fornire i caschi blu alle Nazioni Unite dopo il ritiro dei canadesi: l'impegno per la pace nel mondo era sicuramente una priorità del suo governo, ma lo era ancora di più riportarli tutti a casa sani e salvi. *Dutchbat*, un nome a effetto, da vero commando, non c'è che dire, proprio quello che serve a un contingente intrappolato in un vicolo cieco.

Dettagli, pensò Romeo González, piccole storie che ruotavano intorno a quel suo strano caso e che continuavano a tenergli la testa occupata.

Calati i riflettori sulla nomina al Tribunale penale internazionale, era subito cominciata l'attesa. Si trattava adesso di capire quale caso gli avrebbero assegnato. Una volta trasferitosi aveva cominciato a fare i compiti, passato lunghi pomeriggi nel suo studio a leggere carte, a ordinare libri. Aveva riscoperto il piacere di consultare l'atlante per approfondire una geografia che conosceva solo per sommi capi. Dal giorno del trasferimento, nel gennaio 1996, faceva tutto con puntiglio, ma più per riempire il tempo che per passione o senso del dovere. Intanto sui giornali si discuteva delle pressioni della comunità internazionale nei confronti di Milošević per ottenere la cattura di Karadžić, ex presidente della Repubblica serba di Bosnia, ormai alla macchia.

Come sempre Romeo González era stato ben presto affiancato in quel compito da sua moglie, impegnata fin da subito con quell'attenzione maniacale che rivolgeva a ogni nuovo passo della sua carriera. Una presenza così costante e attenta da fargli sospettare che si trattasse in fin dei conti di una mal celata mancanza di fiducia nelle sue capacità.

Nel complesso pareva orgogliosa di lui, vedeva infatti in questo incarico non solo una promozione ma persino un'ascesa sociale. *Internazionale*, l'aggettivo bastava a qualificarlo agli occhi di sua moglie come il punto più alto della sua storia di giudice. Aveva persino cominciato a correggere in privato il marcato accento spagnolo del marito: «Non vogliamo pensino che un giudice della Corte penale dell'Aja non sia in grado di parlare inglese!».

Fu soprattutto per lei che Romeo rimase deluso quando seppe che avrebbe dovuto giudicare un soldato semplice, uno sconosciuto, un niente. Probabilmente un mitomane. Era stato chiamato a far parte del tribunale che giudicava il primo vero conflitto europeo dalla fine della Seconda guerra mondiale e gli avevano affidato un caso di cui non si sarebbe ricordato nessuno. Fu in quel momento che capì che la sua nuova vita in terra olandese non sarebbe stata la consacrazione che aveva sperato.

A casa dovette sforzarsi di mostrarsi appassionato, sottolineando che non potevano affidargli niente di meglio: Milošević era ancora saldamente al potere in Serbia e gli equilibri politici del momento non avrebbero certo permesso arresti di altro calibro. Continuò a ripetere a sua moglie che si trattava di un primo passo, doveva solo entrare in punta di piedi, presto gli avrebbero assegnato casi di maggior spessore.

Il giorno del giuramento fu una mera formalità. A livello internazionale il ruolo del giudice corrispondeva a quello di un burocrate.

Dichiaro solennemente che onorerò i miei doveri e eserciterò i miei poteri come Giudice del Tribunale penale internazionale per perseguire i responsabili di serie violazioni del diritto internazionale umanitario nei territori della ex-Jugoslavia dal 1991, onorabilmente, in fede, con imparzialità e coscienza.

Un modulo, un'autocertificazione. Nessuna cerimonia, neppure l'istituzione se la sentiva di glorificare se stessa. «Non dimentichi la data accanto alla firma, giudice» aveva coscienziosamente sottolineato l'usciere indicando l'apposito spazio in basso a destra.

Romeo González sentiva di non avere manie di protagonismo se non quelle che di riflesso gli imponeva sua moglie. In fondo, era sollevato dal fatto di essere un mero esecutore: preferiva definirsi un raffinato artigiano piuttosto che un artista. Certo, avrebbe voluto fosse riconosciuto anche il suo tocco personale, ma senza eccedere. Sosteneva il principio dell'invisibilità del giudice e non gli dispiaceva essere dimenticato una volta portato a termine il suo compito. «Il dovere del buon giudice è di eseguire e scomparire» amava ripetere.

Forse delusa, forse annoiata, la moglie era presto ripartita lasciandolo solo in quell'appartamento *squisitamente minimalista*, un modo elegante per descrivere l'impersonalità delle stanze dove si era trasferito.

Adesso, a poche ore dall'atto finale, riguardando i sei mesi trascorsi, non poteva non pensare a Joris Voorhoeve. Avevano entrambi accettato un impegno che erano sicuri di poter gestire, qualcosa di diverso dal loro lavoro ordinario ma non al punto da rappresentare un banco di prova. Una missione di pace quella del ministro, né la prima né l'ultima alla quale il suo paese partecipava. Per Romeo González era solo l'ennesimo processo di una lunga carriera, e non il più complicato. Si trattava di fare il proprio dovere con dedizione, riunire con freddezza le tessere del puzzle e la soluzione sarebbe apparsa evidente.

Guardò l'orologio.

Immerso nei suoi rimorsi, quella mattina Romeo González stava lentamente affogando in un mare di *se* e di *ma*, in troppe domande senza risposta.

Chissà se il ministro Voorhoeve ripensava mai al suo di trasloco, chissà come lo giudicava adesso alla luce dei suoi errori di valutazione.

Avrebbe voluto saperlo Romeo González, perché quella mattina era giunto alla conclusione che quella sarebbe stata la sua ultima sentenza.

Dražen

Ci sono giornate nelle quali non mi pesa essere qui. Non che Sanja e Irina non mi manchino, ma sapere di averle in qualche modo messe al sicuro è un vero sollievo dopo tutti questi mesi passati a girovagare senza meta. La guerra capovolge l'idea di felicità. Trovo ormai conforto nella routine imposta dall'esercito. Ogni giorno mi richiede quel minimo di concentrazione necessaria a compiere gli stessi atti in maniera uguale, ripetitiva; quella concentrazione minima ma sufficiente a togliermi dalla testa tutto quello che sta succedendo fuori da queste quattro mura: la guerra, gli ultimi mesi, i continui spostamenti, i passaporti...

Sfortunatamente questo non è uno di quei giorni.

Lavorare nel Decimo battaglione sabotaggio ha dei lati positivi. Passiamo poco tempo in azione e evitiamo rastrellamenti e perquisizioni nei villaggi. Il nostro lavoro consiste nell'assicurare sempre il giusto rifornimento di munizioni al momento giusto nel posto giusto. All'inizio, appena arruolato, compivamo anche qualche piccola azione di sabotaggio dietro le linee nemiche, ma ormai l'azione del nemico è ridotta a guerriglia e sposta con sé la linea del fronte. Il comando ha preso una decisione particolarmente azzeccata considerando quello che posso offrire all'esercito serbo. Qualcosa deve esser giunto all'orecchio dei comandanti se sono stato messo qui. Non credo che sia il fatto di essere mezzo croato, quanto il fatto che è la terza divisa che indosso. Tanti, se non tutti, hanno già fatto parte dell'esercito jugoslavo, ma non credo che molti abbiano al loro attivo anche un servizio nelle milizie croate. Ma qui siamo in Bosnia, e in Bosnia il vero nemico sono i musulmani, poco conta se i cannoni sono caricati con le munizioni portate da un mezzosangue purché continuino a sparare quando viene loro ordinato.

Finora il lavoro è stato relativamente semplice. Siamo un piccolo battaglione, sappiamo quali e quante armi hanno in dotazione le diverse unità e noi non dobbiamo fare altro che rifornirle quanto basta senza appesantirle. Ormai l'avanzata serba pare inarrestabile, le strade sono abbastanza sicure, percorse solo dagli asini che trasportano quello che resta dei villaggi lontano dal centro del conflitto. Non incrociamo che donne e vecchi, procedono lenti, lo sguardo basso, ai bordi della strada.

Il capo della mia unità, il tenente Milorad, è un soldato atipico. Non lesina parole e si assicura sempre che abbiamo tutti compreso le poche informazioni che gli vengono fornite dal comando prima di entrare in azione. Credo abbia da poco superato la quarantina, anche se è difficile indovinare l'età di un uomo in guerra. È un buon burocrate ma sicuramente non è un soldato nato. Era un ragioniere, prima, e il conflitto non lo ha cambiato di una virgola. Svolge il suo lavoro con puntiglio, preoccupato che possa essere destinato a qualcosa di peggio. È padre di tre figli e non nasconde che il suo obiettivo sia tornare a casa il prima possibile. «Se tutti collaboriamo, torniamo a casa per cena e senza un graffio» è la frase che ripete alla fine di ognuna delle sue interminabili disposizioni. Non posso dire di esserci entrato in stretta confidenza, ma mi rincuora la sicurezza di trovarmi davanti a qualcuno che condivide i miei stessi scopi.

La guerra esaspera il carattere di ogni uomo. All'inizio questa era la mia spiegazione per l'estremo rigore del tenente Milorad, mentre adesso, dopo quattro mesi passati insieme, comincio a pensare che questo sia solo il suo modo di proteggersi da quello che stiamo vivendo. Il fatto di avere dei compiti ben determinati, di ripeterli in maniera sistematica e metodica, lo aiuta a eliminare ogni connessione causa-effetto. Tutto viene così percepito come necessario, come un compito indiscutibile che è chiamato a eseguire. Consegniamo munizioni come ci è stato chiesto, per quanto ne sappiamo potrebbero avere la stessa funzione di viveri e medicinali. In fondo è la stessa cosa che piace pensare anche a me. Se ho delle responsabilità non le voglio sentire, non sono io a premere il grilletto e questo mi basta per dormire la notte. Se non voglio uscire di testa in questa situazione devo in qualche modo trovare delle risposte che anestetizzino i miei dubbi. La vittoria serba mi appare ogni giorno di più come inevitabile, in questo quadro le mie azioni non sono altro che qualcosa di necessario a accelerare la fine del conflitto. In fondo, se non lo facessi io, lo farebbe qualcun altro.

Tra i componenti del battaglione ho socializzato con Goran. Ha venticinque anni e la faccia pulita di un diciottenne. Passa le giornate a parlarmi di pesca, delle montagne intorno a Kopaonik e della sua fidanzata. Goran è il ragazzo che vorresti come vicino di casa, quello con cui saresti contento uscisse tua figlia. Anche Goran fa quello che c'è da fare senza troppe discussioni, per quanto a volte mi pare di intravedere uno zelo che non riconosco. Probabilmente mi sbaglio. Goran ama parlare. Passo le mie serate con lui perché so che riempirà ogni mio silenzio. I momenti di pausa sono i più pericolosi perché sei lasciato solo con i tuoi pensieri, libero da ordini.

Oggi ci fermiamo non lontano da Tuzla. Ogni volta, ogni spostamento, mi trovo a pensare le stesse cose, seduto sul retro di un'altra camionetta che mi porterà al campo di un'altra unità. Non c'è più niente per me di familiare in quello che è la Bosnia oggi, un vuoto paese silente, popolato da pochi passanti eternamente all'erta. Sono passati quattro anni dall'inizio della guerra, un sacco di tempo per me, un'eternità per il paese. Il luogo dove sono nato ormai non esiste più. Quando transita una camionetta serba nessuno la guarda, i civili cercano di diventare invisibili, ostentando la più falsa naturalezza nei loro gesti. È la loro paura a farmi male, è la loro paura a farmi sentire sbagliato.

Cedomil gioca con il coltello a serramanico. Provo a non pensare che siamo scoperti, che siamo anche noi un facile bersaglio, un facile bersaglio in divisa, cerco di non pensare a cosa succederebbe a Sanja e Irina. Il mio presente è questa camionetta che viaggia lungo una strada deserta. Mi concentro su Cedomil seduto davanti a me. È il compagno con cui ho meno affinità. Cedomil ama la guerra e non lo nasconde. Non parla mai di chi fosse prima, probabilmente non ha niente e nessuno di cui valga la pena parlare, è stata la guerra a dargli un ruolo nella società. La guerra gli ha dato una ragione di esistere, la guerra lo ha fatto sentire speciale per la prima volta nella sua vita e lui intende godersi questa sensazione fino in fondo. Basso, le braccia tozze, parla in maniera poco comprensibile, mangiandosi le parole. Non fa altro che ricordarci l'importanza della nostra missione e il suo odio sterminato per i musulmani. Un frutto riuscito della propaganda. Se fosse stato poco più prestante il suo zelo sarebbe stato sicuramente premiato facendolo combattere al fronte. Il fatto di essere mentalmente limitato, infatti, non è mai stato visto come un limite per le truppe d'assalto dell'esercito della Repubblica di Srpska, anzi, è forse un valore aggiunto. Ostenta cameratismo, come se l'amicizia tra commilitoni fosse una cosa scontata. Cedomil ha capito che in questa situazione il rispetto non deriva soltanto da quello che hai fatto, ma soprattutto dalle mezze parole, da quello che fai immaginare di aver fatto e da quello che sostieni di poter fare.

Jasa è addirittura meno raffinato di Cedomil: all'inizio del conflitto ha combattuto con le Tigri in Slavonia, ma nessuno sa come sia finito qui a portare munizioni dalla banda di Arkan. È un ragazzone di oltre due metri, la testa rettangolare, i capelli tagliati a spazzola, parla solo quando è strettamente necessario.

La strada è circondata dai boschi, se non fosse per qualche cratere di mortaio ai suoi lati e per la camionetta militare sulla quale viaggiamo, potremmo essere un gruppo di amici in giro per una battuta di caccia. All'improvviso qualcosa mi sibila a pochi centimetri dall'orecchio sinistro e rimbalza sul ferro della camionetta.

Cazzo. Ci attaccano.

La camionetta accelera bruscamente mentre noi finiamo schiacciati sul pavimento. Forse dovrei ripensare a tutta la mia vita, ai visi di Irina e Sanja, ma riesco solo a pensare a quanto è fredda questa lamina di metallo e a che morte del cazzo sto per fare, un bersaglio mobile che attraversa un bosco da niente. «Strada sicura,» aveva garantito Milorad prima di partire, «nessun motivo per avere una scorta.» Adesso ho il suo stivale piantato nello stomaco, mentre urla nella trasmittente, il viso sotto la panca, «Siamo sotto attacco, ripeto, sotto attacco, sulla strada a trenta chilometri da Tuzla».

Sparano da entrambi i lati della strada. No, no, non li vedo, sono nel bosco, tre o quattro, non di più. Tiro fuori la pistola dalla fondina, ma non ho il coraggio di alzarmi per rispondere al fuoco, troppa la paura di prendermi una pallottola in testa.

Corri cazzo, spingi sull'acceleratore, Goran, porta lontano questa minchia di camionetta. Guardo in basso, verso la postazione di Goran che guida. Cedomil e Jasa si sono sollevati e stanno rispondendo al fuoco con due fucili.

Devo ammettere di non averli mai ammirati tanto prima di adesso.

Se colpiscono le ruote siamo fottuti, se ci fermiamo siamo un bersaglio impossibile da mancare. Vogliono le munizioni, per questo non hanno ancora usato l'artiglieria pesante, ma sono sicuro che non aspetteranno molto se capiranno che stiamo per svignarcela. Spara Cedomil, spara: loro o noi. Una curva a destra, la camionetta che perde aderenza per la velocità ma non si ribalta. Gli spari cessano, solo Cedomil e Jasa continuano a sparare, poi anche loro si fermano, senza abbassare i fucili. Goran continua a tirare il motore al massimo, comincio a riprendere lentamente la percezione del mio corpo.

Jasa mi prende per il bavero e mi aiuta a alzarmi. «Grazie per il sostegno» mi dice con un sorrisetto ironico. Cerco di respirare, inalo a pieni polmoni per tranquillizzarmi. Cedomil si accende una sigaretta e me la passa, devo avere un aspetto patetico. All'orizzonte vediamo quattro jeep venirci incontro a tutta velocità, i rinforzi chiamati da Milorad. Tempismo perfetto, non c'è che dire.

Mi trattengo dall'abbracciare Cedomil.

Dirk

«Quando ci rimandano a casa non voglio più vedere scatolette» dice Raviv raschiando con il cucchiaio gli ultimi fagioli dal fondo.

Mi stendo sulla branda e chiudo gli occhi. È passato più di un giorno dall'incidente. I carri armati sono ancora lì, immobili, nascosti adesso da una fitta nebbia alzatasi poche ore dopo l'attacco. Non si sentono rumori, la campagna ovattata da un cielo plumbeo inusuale per una giornata estiva. Siamo tornati al solito ritmo, alle sporadiche granate fuori bersaglio sparate da qualche parte dietro l'orizzonte. Mi sorprendo ogni volta di come si creino velocemente nuovi equilibri: se non fosse per il brivido che mi corre ancora sulla schiena, l'attacco di ieri sarebbe poco più della rappresentazione delle nostre peggiori paure.

Pranziamo nella camerata per proteggerci da quella vista che ci provoca solo ansia.

«Ma i serbi non cacano mai?» sbuffa Raviv nel letto accanto. «Il comandante continua a tenere un cannocchiale fisso su quel carro armato, ma a quanto pare senza motivo. Non si muovono, non avanzano né arretrano, nessuno vi entra e nessuno ne esce.»

«Magari è finto,» dico con un sorriso «un carro armato radiocomandato fatto di cartone.» Raviv non sorride, non mi ascolta e prosegue: «Chissà cosa sarà passato per la mente di quelle teste di cazzo, cominciare a fare il tiro al bersaglio con noi». Mi siedo sulla branda, cerco di sollevarlo, «Quando domani sarai rientrato alla base, circondato da mocciosi e donne baffute, stai sicuro che ti mancherà tutto di qui, la torretta, la campagna e perfino le granate che ci sfiorano». Ci mettiamo entrambi a ridere. Raviv si siede sul letto e tira fuori una foto dal portafoglio.

«Arthur e Claire,» dice «tre e cinque anni.» Me la passa. «Vi siete dati da fare» commento. Due bimbi biondissimi, stesi su un prato in una giornata estiva. Il bambino, chiaramente il più grande dei due, sorride in camera stringendo tra le mani una palla verde mentre la sorella, due codine ritte sulle gote rosse, pare più interessata alla palla che all'obiettivo del fotografo. «Claire ha cominciato da poco a capire come funziona il telefono, fino a qualche mese fa tutto quello che sentivo di lei era il suo respiro nella cornetta.»

Usciamo nel cortile, l'attività febbrile delle ore immediatamente successive all'attacco ha già lasciato posto al solito tran tran fatto di turni, cambi, guardie e avvistamenti. «In fondo è come vivere accanto alla ferrovia, dopo qualche settimana non ci fai più caso» dice Raviv commentando l'ennesima granata caduta poco lontano. «Sono aumentate di intensità nell'ultima mezz'ora» dice un soldato alle nostre spalle. «Avranno da smaltire delle scorte in magazzino» commento senza nascondere un minimo di nervosismo. Nessuno fa in tempo a reagire alla mia battuta che una granata cade a pochi metri dalla base. Nessuno si muove. Rimaniamo immobili in ascolto. Hanno sbagliato mira o stanno davvero ricominciando a tirarci addosso? La seconda granata ci toglie gli ultimi dubbi, la terza fa correre tutti alle postazioni. «Fitto lancio di granate. Siamo sotto attacco,» urla il sergente alla radio «ripeto, Foxtrot è sotto attacco.» Il rumore sale e rende indistinte le urla degli altri soldati intorno a me. Non so cosa fare, non ho ordini, mi avvicino istintivamente alla postazione radio. «No, non mi sbaglio, ci stanno attaccando» urla il sergente all'apparecchio. «Sergente, sergente, i carri armati stanno avanzando verso di noi… avanzano in forze, c'è un altro blindato e c'è anche la fanteria, vengono a prendersi Foxtrot.» Guardo fuori e li vedo. Tra la polvere delle esplosioni distinguo con chiarezza le sagome dei blindati che avanzano lente, proteggendo le truppe alle loro spalle.

Come se potessimo davvero rispondere al fuoco.

Il resto della truppa si è messo in posizione, pronto a difendere questo fortino che tutti sappiamo indifendibile.

«Chiedo copertura aerea, ripeto, chiedo copertura aerea!» sento il sergente gridare a pochi metri da me.

Mi sdraio dietro un sacco di sabbia e punto il fucile verso l'orizzonte, consapevole che non mi sarà permesso di sparare, mentre i serbi avanzano tra la polvere, sempre più vicini. «Non posso aspettare due ore, le truppe serbe stanno avanzando a poche centinaia di metri da noi. Se non potete fornire la copertura, autorizzateci almeno a sparare!»

Prego che nessuno di noi faccia una cazzata. Continuo a fissare l'orizzonte senza guardare gli altri accanto a me, ma so che sono lì, il dito sul grilletto. Sudano sotto l'elmetto, insultano a bassa voce il governo che ci ha mandati qua, i serbi che si avvicinano e i civili a valle, quelli che dovremmo difendere, ma per i quali non riescono a provare alcuna compassione. Hanno la gola secca e si sentono in trappola, lontani da casa, chiusi in un vicolo cieco nel quale non hanno scelto di trovarsi. Il nemico sempre più vicino. Prego che nessuno perda la testa, basterebbe un momento di debolezza, un momento in cui la disperazione abbia la meglio, una pallottola in fronte a un soldato serbo e siamo fregati, gli daremmo l'alibi perfetto per liberarsi di noi.

Il sergente ha smesso di sbraitare alla radio e si è posizionato alle nostre spalle. «Non sparate, non ci stanno sparando addosso, non sparate, non abbiamo il diritto di sparare finché non abbiamo la certezza di essere sotto attacco!»

Nessuno si sorprende, nessuno lo guarda, nessuno reagisce. Rimaniamo immobili a fissare l'avanzata mentre i colpi di mortaio diventano più radi mano a mano che le truppe serbe si avvicinano. Quando sono a meno di duecento metri da noi il comandante riprende la radio. Se è preoccupato non lo dimostra, non trapela emozione dalle sue parole.

«Quartier generale, il punto di osservazione Foxtrot sta per cadere in mano alle forze serbe. Non abbiamo opposto resistenza. Attendo indicazioni. Passo e chiudo.»

Il rumore cessa completamente quando i blindati sono ormai all'entrata del campo. È un silenzio traditore, un'illusione di scampato pericolo.

Ci raduniamo e seguiamo il sergente che si fa incontro

ai nuovi arrivati. Rimaniamo in silenzio, non so se per il tono dell'ultimo messaggio o per la paura di quello che potrebbe succedere.

I serbi scendono e si dispongono in forze davanti a noi.

«Arrendetevi» dice quello che deve essere il loro comandante attraverso un interprete dall'inglese incerto. «Siete ostaggi dell'esercito serbo.»

Arrendersi? Ma se non abbiamo neanche sparato un colpo! È tutto surreale, surreale la loro invasione in forza di una torretta mal difesa e in effetti già in mano loro, surreale la nostra non reazione nonostante fossimo bombardati.

Stanno soltanto tastando il polso alla comunità internazionale, siamo solo un antipasto o, cercando di rimanere ottimisti, una piccola soddisfazione in un momento di stallo.

«Ogni vostro atto è in violazione della mozione 836 delle Nazioni Unite che decreta questa zona come neutrale, *safe area* sotto protezione Onu.» Il sergente recita la sua parte come da copione.

C'è un secondo di silenzio, si aspetta la traduzione che desta l'ovvia ilarità dei nuovi arrivati.

«Consegnateci le armi e non vi sarà fatto niente, siete prigionieri di guerra.»

«Ripeto ancora una volta che quello che state facendo è in violazione della mozione 836 approvata dal Consiglio di sicurezza delle Nazioni Unite.» Rimaniamo tutti in piedi, fermi, nessuno dei due gruppi si prende il disturbo di puntare le armi verso l'altro. Non c'è pathos, entrambi stiamo solo adempiendo a un ordine, un protocollo, recitando la propria parte in una tragedia della quale conosciamo già il finale.

Il comandante serbo dice poche parole ai suoi soldati che si avvicinano con fare risoluto. Guardiamo tutti verso il sergente. È un attimo e puntiamo le armi all'unisono verso i nuovi arrivati, come per un riflesso, prima che si facciano troppo vicini.

«Abbassate i fucili,» ci intima il sergente prima ancora che i serbi possano reagire «siamo pochi e circondati, non avremmo comunque speranza.»

Butto il fucile per terra, come gli altri. I serbi scherzano, ridono fra di loro in maniera forzatamente sguaiata, sono contento di non riuscire a capirli.

Perquisiscono la base, noi ammassati nel cortile mentre il comandante è trattenuto all'interno. Mi chiedo cosa succederà adesso.

«Non ti preoccupare» risponde Raviv come leggendo i miei pensieri. «Se volevano spararci lo avrebbero già fatto.» Rimaniamo in silenzio. Sono ben istruiti, non toccano niente, non frugano tra le nostre cose. Non siamo prigionieri qualunque, è nel loro interesse mantenerci vivi e con le dovute cure, ma mi sento comunque a disagio, in balìa di un piano studiato a tavolino del quale non comprendo ancora le ragioni.

«Che avranno mai da dirsi?» chiedo a Raviv indicando con il capo la stanza dove il capitano è ormai entrato da una mezz'ora.

«La radio,» risponde scuotendo la testa «staranno chiamando la base per avere indicazioni sul da farsi, la solita commedia, come se adesso che ci hanno catturato ci lasciassero senza pretendere niente in cambio. Fatteli piacere i nostri secondini, perché ho paura che ci passeremo diversi mesi insieme» sussurra Raviv seccato. Non fa in tempo a finire che il comandante appare nel cortile. «I serbi garantiscono la sicurezza della nostra ritirata,» dice secco «tutti al blindato, rientriamo a Potočari.»

Tiro un sospiro di sollievo. Raccolgo il sacco e esco in fretta dal campo senza alzare lo sguardo verso i nuovi arrivati.

«Bruno alla guida, Raviv in torretta alla mitragliatrice: è l'unica arma che hanno accettato di farci riportare.»

Carichiamo il blindato in pochi minuti e saliamo in silenzio. Guardo i miei compagni. Non vedo paura, solo la rabbia dovuta all'impotenza. «Mi mettono alla mitragliatrice,» dice Raviv con un sorriso che assomiglia a un ghigno «vi scoccia se stavolta rispondo al fuoco in caso mi sparino addosso?»

Il comandante sale per ultimo, dopo aver scambiato poche frasi di circostanza con il suo parigrado serbo e il suo traduttore. «Metti il piede sull'acceleratore, Bruno» urla Raviv prima che il rumore del motore abbia la meglio. Mi siedo insieme agli altri sul retro del blindato, sballottato come un carico mal legato mentre corriamo giù dalla collina. Bruno pare mirare alle buche, tante ne prende, e finiamo tutti con lo sbattere in continuazione la testa sul tettuccio. Vedo il comandante seduto vicino al guidatore parlare fitto alla radio. Dalla mia prospettiva siamo poco più di una scatoletta di tonno lanciata a tutta velocità in discesa con destinazione ignota a noi passeggeri. Non mi lamento, potevo sempre finire fuori, alla mitragliatrice, al posto di Raviv, esposto e con il vento che mi rintontisce soffiando nelle orecchie.

Faccio appena in tempo a rallegrarmi per avere raggiunto una strada asfaltata, che Bruno prova di colpo la qualità dei freni del blindato. Sbatto il naso, mi sanguina, maledico me stesso per non essermi messo le cinture.

«Li vedi?» urla Bruno.

«Li vedo!» risponde Raviv da fuori.

«Quanti sono? Hanno un anticarro?»

Qualcuno allunga a Raviv il cannocchiale.

«Negativo,» risponde Raviv dopo una breve pausa «vedo quattro soldati armati in maniera leggera.»

Le solite merde serbe, non siamo neanche partiti da dieci minuti e si sono già rimangiati le loro promesse.

«Base. Passo. Siamo fermi sulla strada principale a circa dieci chilometri da Potočari. Posto di blocco con quattro uomini armati, milizia bosniaca, meno di cinquecento metri da noi. No, non vediamo anticarro» segnala il sergente alla trasmittente.

Bosniaci? Pare che qui tutti facciano a gara a farsi odiare.

«Non mi pare abbiano intenzioni amichevoli» urla Raviv dalla torretta fuori.

«Ricevuto» taglia corto. «Aspettiamo» ci annuncia poco dopo il sergente. «Il quartier generale sta cercando di entrare in contatto con la milizia in modo da spiegare loro la situazione.»

«Be', allora siamo a posto» mastica amaro un soldato seduto alla mia destra.

Milizia bosniaca? Vogliono forse rimandarci al mittente? In braccio ai serbi?

Rimaniamo in silenzio, in attesa di un qualsiasi segno proveniente dalla radio. Dieci minuti a aspettare un suono dall'enorme trasmittente nera, mentre a poche centinaia di metri quattro idioti ci attendono con i fucili spianati dietro a qualche barricata di fortuna.

«Foxtrot?» suona metallica la radio. «Nessuno dei responsabili della milizia dice di sapere chi ci sia dietro alla barricata.»

«Merde» sibila Bruno senza smettere di guardare la strada davanti a sé.

«Vi ordino di forzare il posto di blocco, non possiamo aspettare ulteriormente, ci vogliono al campo prima che faccia buio. I bosniaci hanno paura che stiamo ritirandoci e vogliono farci ritornare a Foxtrot. Illusi! Ce la facciamo?» chiede il comandante rivolgendosi a Bruno alla guida. «Si tratta solo di un po' di legna e qualche balla di fieno. Non dovremmo avere problemi a meno che non nascondano un anticarro nelle mutande.»

«Speriamo Bruno. Forza, riportaci alla base.» Bruno non perde tempo e si lancia, acceleratore a tavoletta verso l'ostacolo. «Rientra Raviv e chiudi il portello.»

Se lo aspettavano. Dieci minuti di attesa sono serviti a prendere bene la mira e sentiamo i colpi rimbalzare sulla corazza metallica del blindato.

«Cazzo, Raviv, rientra!» gli urlo.

Mi alzo, mi aggrappo alla scala della torretta, quando vedo il primo dei suoi stivali poggiare sul gradino più alto. Solo quando vedo anche l'altro mi siedo di nuovo, tra pochi secondi supereremo la barricata.

«Merda…» È un sussurro quello che sentiamo provenire dalla scala, seguito dal boato del portellone che si chiude. Raviv cade a peso morto, come se qualcuno avesse tagliato i fili invisibili che lo tenevano attaccato al cielo.

Cade senza un rumore se non quello dell'elmetto che sbatte sul pavimento metallico del blindato. Non capisco subito, è scivolato? Perché non si muove?

Poi la vedo, una macchia rosso scuro che prende vita sul lato sinistro del collo e si espande sulla spalla fino a scendergli piano sul petto. Ci facciamo intorno, mentre le pallottole continuano a rimbalzare sulle pareti metalliche che ci proteggono.

«Che succede là dietro?» domanda il comandante dal posto di guida.

Lo alzo, lo stendo tra due sedili, la schiena appoggiata sulla mia coscia, mentre cerco di tenergli il busto eretto in un abbraccio, il sangue che cola sulla mia divisa. Un tonfo sordo e un piccolo sbalzo ci avvertono che abbiamo passato la barricata.

«Raviv!» gli scuoto il viso quasi a schiaffeggiarlo. «Guardami Raviv!»

«Che sfiga, Dirk,» risponde «stavo chiudendo il portellone.»

Raviv muore tra le mie braccia, mentre intorno il sibilo delle pallottole diminuisce fino a cessare.

Guardandolo così da vicino, lungo disteso, non mi sembra possibile che sia vero, che sia morto così, lontano da casa, per mano di quegli stessi bosniaci che siamo stati inviati a difendere.

Non riesco a piangere, cerco dentro di me una qualsiasi emozione, anche piccola, insignificante, ma non trovo niente.

Poche ore fa chiacchieravamo seduti sulle nostre brande.

Ora lo vegliamo in silenzio come se avesse ancora un senso.

Gli chiudo gli occhi, lo avvolgiamo alla meglio in una coperta sporca.

Solo adesso, guardando il sangue raffermo sulle nostre divise, penso alla foto del portafoglio, a Claire, a Arthur e alla loro palla verde, e solo adesso trovo la forza di piangere.

Romeo

Il tribunale in sé non rendeva giustizia dei crimini sui quali era chiamato a esprimersi.

Un edificio dagli interni troppo bianchi, i corridoi vuoti dall'intenso odore di candeggina, le sedie verdi di plastica: tutto lo faceva più simile a un ufficio del catasto che a un luogo atto a giudicare la storia. La ressa dei fotografi all'entrata dell'aula il primo giorno dell'istruttoria, d'altronde, era l'unica prova tangibile della gravità dei fatti dei quali si discuteva in quella sede. Per un momento pensò addirittura di avere mal valutato la portata di quel caso. Ma si accorse che stava soltanto cercando di alimentare una sua pia illusione. Romeo González avrebbe presto scoperto che anche quel piccolo circo avrebbe subito levato le tende: le confessioni finiscono in prima pagina, soprattutto quando trattano fatti così mostruosi, ma non le processioni dei testimoni, le infinite sedute del dibattimento. Quello era uno spettacolo che non interessava a nessuno perché di spettacolo, in realtà, non si trattava. Forse, riguardando tutto ora con quell'obiettività che solo il tempo permette di sviluppare, era lui stesso a percepire quei luoghi come banali, proiettandovi la paura che quel suo esilio non fosse altro che un prepensionamento.

Nemmeno i confronti con l'imputato avevano contribuito a aumentare il pathos intorno al caso. Il giorno del primo interrogatorio vestiva una camicia di scarsa qualità, troppo grande per lui, di un verde spento con strisce nere. Aveva il viso di un ragazzino, «Ma in fondo», si disse Romeo González, «Dražen Erdemović è poco più che un ragazzino», perfino più giovane di sua figlia. Il viso smunto, i capelli tagliati corti, le orecchie a sventola, qualcuno incapace di attirare l'attenzione se incrociato per strada.

Romeo González continuò a fissarlo per tutta la durata dell'udienza, con discrezione, evitando di essere notato, di far capire che lo stava guardando. Cercava quei dettagli del suo comportamento che offrissero una chiave, un qualche punto di entrata che gli permettesse di comprenderlo. Più guardava quell'uomo e più lo trovava insignificante, più pensava a quell'uomo e più sentiva che era proprio in quell'insignificanza che risiedeva la grandezza di quella storia.

La Storia, quella con la *esse maiuscola*, è piena di eroi e di mostri. La persona che ascoltava seduta davanti a lui, la traduzione in cuffia, non apparteneva invece a nessuna delle due categorie: davanti alla storia aveva scelto una terza via, una zona grigia, e aveva spontaneamente deciso di essere lì per raccontarlo. La storia è piena di sentenze ben definite da scrivere sui libri, mentre quella che lui era chiamato a scrivere non lo era.

Guardando quel giovane dall'apparenza così anonima, Romeo González capì per la prima volta l'importanza e la reale portata di quel processo.

Durante la prima camera di consiglio ebbe l'opportunità di sentire cosa pensassero gli altri giudici. Una volta entrati, il giudice Lee si era subito seduta a capotavola con Douglas alla sua destra seguito da Prunon. Dall'altro lato avevano trovato posto Mboko e Romeo González.

Era la prima volta che tutti si sedevano intorno a un tavolo per dibattere il caso. Al breve resoconto iniziale era seguita la lettura della perizia psichiatrica che aveva trovato l'imputato capace di intendere e di volere, nonostante un prevedibile stato di stress. Due differenti psichiatri non avevano riscontrato particolari patologie: non si trovavano davanti a uno psicopatico. Osservando i suoi colleghi Romeo González si sentì sicuro che la notizia era stata accolta con fastidio. Sarebbe stato per tutti molto più facile liquidarlo come un mostro o meglio come un sadico privo di rimorsi, in modo da poterlo condannare senza troppe polemiche.

Fu Lee a rompere il ghiaccio, decisa a scandire l'incedere della conversazione.

«Non credo che ci siano troppi dubbi.»

«Se non li ha l'imputato, non vedo perché dovremmo averli noi» aggiunse Douglas alla sua destra come a completare la frase.

«Stavo dicendo,» sorvolò il giudice «stavo dicendo che in un caso come questo è nell'interesse del tribunale, nonché dell'imputato stesso, di arrivare il più presto possibile alla sentenza.»

«Senza tralasciare alcun dettaglio, né negare all'imputato alcun diritto» aggiunse bonariamente il giudice Mboko.

«Naturalmente giudice» tagliò corto Lee. «Sui fatti in

sé, non credo ci siano dubbi: l'imputato è reo-confesso e fin dall'inizio ha mostrato la massima collaborazione nel fornire ogni dettaglio che questa corte abbia richiesto.»

«Obiezione, vostro onore,» intervenne il giudice Prunon «non ci interessa certo scoprire chi abbia premuto il grilletto.» Nonostante lo scarso pubblico, il giudice francese provava un piacere fuori dal comune nell'essere al centro della scena, nello svelare il vero motivo per cui erano riuniti in quella stanza. Guardandolo era chiaro che stesse provando il brivido dell'investigatore che risolve il caso alla fine di un giallo. «Dobbiamo capire le ragioni a monte, al di là delle attenuanti, non possiamo limitarci ai soli fatti davanti a un crimine di questa portata.»

«Pongo all'attenzione di tutti i colleghi» il sarcasmo di Prunon pareva aver fatto centro nel giudice Douglas «che quello che il giudice Prunon definisce *i soli fatti* sono in realtà le fondamenta stesse della legge, il vero e unico motivo per cui siamo qui! Fatti da considerarsi in questo caso eccezionali,» fece una pausa «fortunatamente, mi si permetta di aggiungere.»

Il giudice Prunon era una di quelle rare persone che affiancano a un solido bagaglio culturale una straordinaria empatia, utile a catalogare le persone al primo sguardo per carpirne la visione del mondo e le aspettative. Già dalla prima riunione Prunon aveva inquadrato Douglas: semplicistico fino a essere rozzo, rigido fino a risultare ottuso. La massima esemplificazione dello stereotipo del maschio nord-americano del quale avrebbe di sicuro ironizzato sulla mancanza di gusto e sulla banalità dei suoi interessi se lo avesse incontrato a una cena da amici.

Neanche Douglas pareva particolarmente impressionato. Quello non era certo il suo primo incarico all'estero e non era la prima volta che incontrava un francese con la puzza sotto il naso. Non ci stava a passare per scemo né tantomeno mirava a farselo amico, ma non aveva intenzione di perdere tempo in inutili discussioni filosofiche: se quel piccolo giudice ci teneva tanto, poteva sempre scriverci un libro dopo la conclusione del caso.

«Signori non c'è bisogno di scaldarsi,» l'intervento di Mboko, mirato a smorzare la tensione, non fece altro che renderla ancora più evidente, «giochiamo tutti nella stessa squadra.»

«Credo che nessuno ne stia dubitando, giudice Mboko» lo interruppe Prunon alzandosi in piedi. «Mettiamola così,» si schiarì la voce «mettiamo caso che il nostro oggetto di giudizio fosse un altro.» Incrociò le mani dietro la schiena mentre cominciava a camminare alle spalle dei presenti rimasti seduti. «Mettiamo caso che l'imputato stia guidando di ritorno dal lavoro. In una discesa verso casa, una strada ripida con ai lati due strapiombi, si rende conto che i freni non funzionano. Cerca di sterzare, di diminuire in qualche modo la velocità, ma niente da fare: la macchina accelera metro dopo metro. È in quel momento che si accorge degli operai in fondo alla strada che lavorano.» Prunon è ora in piedi all'altro lato del tavolo, di fronte a Lee. «Cerca di suonare il clacson ma non lo sentono, forse il clacson stesso non funziona. Gli operai continuano a lavorare come se niente fosse. Si rende quindi conto che li investirà in pieno, che non potrà evitarli.» La voce del giudice aveva assunto quell'enfasi che annuncia ai bambini l'arrivo del lupo nelle favole della buonanotte. «Sette, forse otto operai ignari, intenti a riparare la strada poco a valle. In quel momento pensa anche di lanciarsi a lato, di buttarsi di sotto in modo da salvarli da morte sicura, ma non ce la fa. Pensa a sua moglie a casa, alla figlia piccola: può il suo senso di responsabilità nei confronti di perfetti sconosciuti essere più forte di quello verso il sangue del suo sangue?»

«Forse ha solo paura di morire» aggiunse Mboko con un sorriso, divertito dal tono con il quale il collega raccontava quella storiella.

Douglas nel frattempo tamburellava con i polpastrelli sul tavolo in modo da rendere evidente il suo disappunto, mentre Prunon continuava incurante.

«Forse. La macchina continua a scendere rapida verso gli operai ignari. Il guidatore è nel panico, non vede via di uscita, quando ecco che alla sua destra, pochi metri prima del disastro, si delinea una stradina che prima non aveva notato. Una stradina stretta con un anziano seduto sul ciglio che osserva i lavori da una certa distanza. Ci pensa un attimo, si rende conto che sterzando investirà in pieno quell'anziano, ma capisce di non avere alternative: la vita di diversi esseri umani o quella di una sola persona.»

Si prese quindi un momento di pausa per godersi l'effetto di quel suo monologo.

«Non stiamo, in fondo, signori, parlando proprio di questo?»

«Ha finito?» chiese Douglas visibilmente infastidito dal magistrale discorso del collega. «Mi trovo d'accordo almeno con il punto finale, di cosa stiamo parlando?» Il viso ogni momento più rosso nello scandire le parole. «Stiamo forse paragonando una strage, un delitto a sangue freddo, a un incidente stradale? Mi pare che qualcuno qui si stia prendendo gioco dell'intelligenza dei presenti!»

«Non sono io a voler semplificare questo caso» rispose calmo il giudice Prunon mentre riprendeva il suo posto. «Ho pensato di fare cosa gradita a offrire ai signori giudici il mio pensiero in maniera diretta e essenziale.»

Era in momenti come quello che Romeo González ricordava chiaramente perché desiderava tanto diventare scrittore in gioventù. Abbassò la testa sul suo taccuino per celare un sorriso spontaneo. Per quanto uno possa girare il mondo non troverà mai uno spettacolo interessante quanto quello offerto da una conversazione, anche la più insignificante.

«Giudice Douglas la prego di calmarsi,» intervenne il giudice Lee «e, giudice Prunon, la ringraziamo, ma siamo tutti un po' troppo cresciuti per ricevere esemplificazioni narrative dell'utilitarismo benthamiano.»

«Sarà d'accordo con me, giudice Lee,» continuò il giudice Prunon affatto turbato dall'ironia del rimprovero «che è proprio questo il centro stesso del giudizio, prima o poi ne dovremo discutere, non crede?»

«E discutiamone allora!» abboccò immediatamente il giudice Douglas. «Mi domando quale giustizia pretendiamo di rappresentare se nutriamo dubbi, anche un minimo dubbio, sulla condanna di qualcuno che ha ucciso più di settanta persone!»

«Esattamente, di quale giustizia stiamo parlando?» fu stavolta il giudice francese a interromperlo alzando la voce quel tanto che gli bastava per sovrastare quella del suo interlocutore. «Siamo forse qui a amministrare la giustizia come un semplice calcolo algebrico? In tal caso potremmo farla amministrare da un gruppo di scimmie, non crede?»

«Invito il giudice Prunon a moderare i termini!» Fu la voce di Lee a intervenire prima che Douglas avesse modo di ribattere. «Anch'io non credo che affermare che non possiamo rimanere muti di fronte all'uccisione di settanta persone sia ridurre la giustizia a un compito da ragionieri.» Continuò: «Non credo si pecchi di superficialità nel sostenere che, con tutte le attenuanti del caso, si debba condannare l'autore di un delitto del genere».

«Giudice Lee,» risuonò la voce di Mboko in fondo alla sala «senza mancare di rispetto a nessuno e a alcuna interpretazione, sento il dovere di sottolineare che ritengo anche io che sia riduttivo definire soltanto come *attenuanti* le eccezionali circostanze che si è trovato a affrontare l'imputato. Non dimentichiamo che l'imputato è stato minacciato di morte, una minaccia seria, concreta. Anche se si fosse rifiutato di eseguire l'ordine non sarebbe comunque riuscito a evitare il crimine che si stava compiendo. Dobbiamo ritenerlo colpevole per non aver aggiunto sua moglie e sua figlia al conto tragico delle vedove e degli orfani di questa guerra?»

Fece una pausa per schiarirsi la voce, come intimidito da quello che stava per insinuare. «Ma, soprattutto, è stato davvero lui a premere il grilletto?»

«Certo che è stato lui a premere il grilletto!» rispose con foga Douglas a quella che era chiaramente una domanda retorica, stupito che qualcuno l'avesse sollevata.

«Ovviamente verrà il momento nel quale perseguiremo

anche i mandanti, se è questo che vuole insinuare, ma ciò non toglie che abbiamo davanti a noi il reo confesso di una strage: non l'avrà organizzata lui ma ha comunque ucciso più di settanta persone.»

«Non sto dicendo questo o almeno non solo.» La naturale flemma del giudice Mboko pareva studiata per innervosire i suoi interlocutori. «Ma l'imputato è forse più responsabile di chi ha urlato parole di odio nelle radio serbe? O di chi ha falsificato i fatti da mostrare alla televisione pubblica in modo da giustificare l'inizio del conflitto? È più colpevole di chi ha sparato all'amico, di chi ha stuprato la vicina o di chi ha riaperto le fosse comuni dopo la strage?» Fece un gesto con la mano per evitare che Douglas lo potesse interrompere. «Dobbiamo valutare anche il contesto e non solo chi l'ha compiuta materialmente.» Fece una pausa per schiarirsi la voce. «Al di là di quelle che sono interpretazioni strettamente personali, ritengo che il nodo centrale risieda nella domanda: possiamo con la nostra sentenza implicitamente pretendere che l'imputato avrebbe dovuto comportarsi come un eroe? La giustizia può pretendere che qualcuno si immoli per un principio? Può la giustizia corrispondere a un altissimo ideale: decidere di morire per uomini che sarebbero stati comunque massacrati?»

«Giudice Mboko, apprezziamo tutti il suo contributo,» lo riprese il giudice Lee «ma voglio ricordarle che non discutiamo di ideali ma di una strage. Voglio domandarle alcune cose adesso: può una corte assolvere per un crimine del genere? Crede che potremmo davvero guardare in faccia i parenti delle vittime lasciando libero il reo confesso di un fatto di questo peso?»

«Non possiamo non assolverlo!» sbottò Prunon ignorando le più elementari regole di protocollo. «Perfino Albert Speer fu assolto a Norimberga!»

«Albert Speer non fu assolto, giudice Prunon» lo riprese pedante Lee. «Fu condannato a venti anni di carcere.»

«Esattamente!» affermò Prunon sbattendo entrambe le mani sul tavolo. «Un gerarca nazista che durante il processo di Norimberga sfugge alla pena capitale perché pentito...»

«... e perché dimostra di non essere a conoscenza dell'esistenza dei campi di concentramento» aggiunse Mboko.

Riprese Prunon: «E noi vogliamo condannare un soldato semplice, reo confesso, pentito, portato a Srebrenica a sua insaputa e costretto con la forza a obbedire a ordini che ha contestato davanti a tutti?».

«Ma le due cose non sono affatto comparabili!» sbottò Douglas sempre più innervosito da un dibattito che non aveva previsto e del quale non capiva il senso né la necessità. «La sentenza Speer ha a che fare con responsabilità storiche, con giudizi che vanno al di là della responsabilità individuale, mentre qui stiamo parlando di un pesce piccolo, di un nessuno che nessuno ricorderà! Ha ucciso decine di persone! Non vorremmo mica creare scandalo con la sua assoluzione?»

Prunon sorrise soddisfatto.

«Giudice Douglas, la invito a moderarsi» intervenne Lee a mezza voce, in evidente difficoltà per le esternazioni di colui che fino a quel momento era stato la sua spalla. «E colgo l'occasione per ricordarle che ogni imputato è uguale davanti alla legge.»

Albert Speer. Un caso da manuale, pensò il giudice Romeo González.

L'architetto Albert Speer, braccio destro del Führer nella realizzazione del progetto *Germania*, sogno utopico di un'architettura iper-razionalista pensata per celebrare la grandezza del Terzo Reich. Albert Speer che durante la guerra aveva assunto il ruolo di ministro degli armamenti entrando di diritto nella cerchia dei più stretti collaboratori di Hitler. Albert Speer, uno degli ultimi a vedere il Führer vivo mentre i russi erano ormai alle porte di Berlino, ma anche l'unico a suggerire la resa al Führer e a pentirsi durante il processo di Norimberga.

Romeo González era trasalito nel sentire l'esempio portato dal collega francese: i casi erano diversi, poco comparabili, era un paragone stiracchiato che stonava in bocca a quel giudice che amava chiaramente proporsi come un sofisticato pensatore. Albert Speer non aveva sparato a nessuno: durante il processo di Norimberga la questione era se fosse o meno a conoscenza dell'esistenza dei campi di sterminio e la sua eventuale responsabilità al riguardo.

Albert Speer era *de facto* divenuto il simbolo di quella Germania che voleva sentirsi dire che poteva anche non sapere, che avere appoggiato il Reich era stato un errore, un errore imperdonabile, ma che loro, con i campi di concentramento, non avevano niente a che fare. Loro di quello non sapevano e per questo non potevano esserne considerati responsabili. La corte decise di risparmiarlo, niente impiccagione, una condanna a venti anni, metafora perfetta di quello che il popolo tedesco in coscienza pensava di meritare. L'empatia per il caso era arrivata al punto che dopo una decina di anni di detenzione molte personalità del mondo politico si erano spinte a chiedere la grazia, incluso Willy Brandt, e solo l'opposizione russa aveva impedito che ricevesse uno sconto sulla pena.

Romeo González sorrise. Un buon giocatore di scacchi è quello capace di prevedere le mosse del suo avversario.

Romeo González capì solo dopo la reazione di Douglas quale fosse l'obiettivo di Prunon: voleva dimostrare come la natura dell'imputato, un soldato semplice, materiale da trafiletto sui giornali, avesse fin dall'inizio indirizzato la sentenza verso una conclusione veloce e semplificata nella testa di alcuni colleghi. Dražen Erdemović sarà stato per certi membri del collegio un caso già deciso, ma non per il giudice Prunon.

«Finiamola qui per oggi» tagliò corto Lee. «Credo che abbiamo tutti bisogno di darci una calmata e schiarirci le idee, ci aggiorniamo» aggiunse a mezza voce mentre metteva in ordine i suoi documenti nella cartellina. «Mi domando come arriveremo a una sentenza se alla prima istruttoria già non riusciamo a trovare un accordo su principi elementari!»

«Qualcuno vuole un caffè?» intervenne per la prima volta Romeo González.

«Magari qualcuno potrebbe far buon uso di una camomilla» aggiunse Douglas in modo da esser certo di avere l'ultima parola.

Romeo González guardò la sua immagine in una delle cornici appoggiate sulla scrivania. Si sentiva forse invecchiato? Solo adesso capiva quanto quel processo lo avesse sfiancato. Solo adesso si rendeva conto di quanti dubbi quei mesi avessero portato con sé.

Chiuse il fascicolo e appoggiò i gomiti sul tavolo, la testa fra le mani. Tra poco più di due ore il giudice Lee avrebbe reso pubblica la sentenza e lui non riusciva a allontanare quella sensazione di disagio. Era una sensazione estremamente fisica, un prurito sulla pelle come quello causatogli da quella maledetta toga la prima volta che l'aveva indossata. Un fastidio che avrebbe voluto sciacquare via con una doccia.

Non si era mai sentito così prima di una sentenza. Non si era mai trascinato insonne in ufficio per riordinare le idee, specie dopo che il dado era stato tratto.

In Spagna tutto era sempre stato chiaro: il suo compito era far sì che l'ordine trionfasse sul caos. Non si trattava di capire dove stesse il bene e dove il male, di quello se ne occupava la legge. Il suo compito era affiancare le prove in modo che i fatti risultassero evidenti. Lui non giudicava nessuno, era solo un notaio dell'inevitabile.

Come aveva potuto avallare una sentenza del genere?

Sperava che sarebbe stato il tempo a mettere una distanza tra lui e quella storia, a alleggerirgli le spalle.

Ma perché si angustiava tanto?

Non era certo lui l'oggetto del giudizio, lui non aveva commesso alcun crimine e questo gli doveva bastare.

Guardò ancora una volta la sua immagine nel vetro della cornice.

Per la prima volta il giudice Romeo González e l'uomo Romeo González non riuscivano a conciliarsi. Per quanto cercasse di mentire a se stesso, per la prima volta era diviso, due parti di sé che avevano convissuto fino a allora, avevano deciso di sedersi ai lati opposti dello stesso tavolo e era questo il vero motivo per cui non era riuscito a prendere sonno quella notte.

Allontanò l'ultimo pensiero con fastidio. Aprì il cassetto della scrivania, tirò fuori carta e penna e cominciò a scrivere.

Dražen

Il pensiero dell'attacco non mi lascia ormai da giorni.

Gli uomini cambiano in guerra, si abituano alla presenza della morte, tirano fuori un lato diverso di sé.

Cazzate.

Non ci si abitua mai al pensiero della morte, non io, non con Sanja e Irina a casa. E non mi ci abituerò di certo adesso, non in mezzo a questo bosco del cazzo. Io non sono né Cedomil, né Jasa, io non riesco a trasformare la paura in odio. In me la paura rimane paura, e non riesco a togliermela di dosso.

Abbiamo appena finito di scaricare le munizioni, ho solo voglia di stare in disparte, il più lontano possibile dalla vegetazione.

Una delle cose cui non riesco a abituarmi della guerra è la divisa, l'essere trasformato in un'uniforme tra le tante. I soldati bosniaci che mi sparavano dagli alberi non sapevano né sapranno mai chi sono. Per loro sono solo un ostacolo che li separa da un carico di munizioni, qualcuno che se non viene fatto fuori oggi potrebbe farli fuori domani.

Butto il fucile a terra e mi siedo con le spalle contro un muro a secco.

L'unità che riforniamo è accampata in quello che resta di un piccolo villaggio agricolo, dieci case di pietra costruite davanti a pochi ettari strappati alla foresta tutta intorno. Le abitazioni razziate hanno perso ogni segno di umanità, ogni dettaglio di vita che le renda diverse l'una dalle altre. Sono contenitori spogli di un esercito di passaggio, uguali a tanti altri nei quali ho dormito nelle scorse settimane.

Aveva ragione Irina, questa volta ho fatto davvero una cazzata.

Qui non si tratta né di guerra né di combattimenti. Qui siamo una forza che invade, distrugge e razzia. Siamo parassiti che si nutrono del sangue della loro stessa terra. Per questo devono eliminarci sempre e comunque, noi o loro, perché sanno che dove arriveremo lasceremo solo muri spogli.

Forse, se fossi stato uno di quei soldati nel bosco, avrei fatto lo stesso.

Vedo Cedomil avvicinarsi a poca distanza, pare venirmi incontro. Non ho voglia di parlargli: più la sensazione di pericolo si allontana, più il momentaneo cameratismo lascia spazio all'abituale distanza del nostro rapporto quotidiano. Scivolo con la schiena e appoggio la testa sull'elmetto, facendo finta di non averlo notato. Mi sbagliavo. Cedomil non vuole affatto parlarmi, né tantomeno sedermi accanto. Passa guardandomi fisso in volto, solo per manifestare il suo disprezzo, in modo che non possa fraintenderlo. Vuole farmi sentire quanto sia profondo il suo odio per la mia codardia, per la mia incapacità di rapportarmi con quello che è successo poche ore prima.

È una mano sulla spalla a distogliermi dai miei pensieri.

Goran.

Ero così impegnato con Cedomil che non l'ho nemmeno sentito arrivare dietro di me.

«Posso sedermi?»

«Ovvio.» Sono sollevato che qualcuno mi distolga dal pensiero di Cedomil. «Sei stato incredibile oggi, non credo che sarei rimasto così freddo al volante» aggiungo.

«Non era certo il caso di fermarsi» risponde con un sorriso, sfila una sigaretta e mi porge il pacchetto. Ne prendo una e l'accendo. Se qualcuno ci vedesse ora potremmo essere due amici che fumano.

«Non ce l'ho fatta a sparare, sono rimasto paralizzato» mi giustifico voltandomi verso di lui. «Non sono riuscito a fare niente, sono rimasto pietrificato» sento il bisogno di aggiungere.

Vorrei trovare parole migliori per spiegare questo mio senso di inadeguatezza, vorrei dirgli che anche io avrei voluto fare la mia parte, ma tutto quello che riesco a mettere insieme sono queste due frasi a mezza bocca, una breve difesa da un'accusa che non mi è stata nemmeno mossa.

Goran guarda dritto davanti a sé. «Non ci pensare,» dice «non ti curare dei loro sguardi, di quello che pensi che vogliano dirti» e sembra leggermi dentro. «Quando tutto sarà finito torneremo alle nostre case e di tutto questo non si parlerà più: quello che abbiamo fatto, quello che non abbiamo fatto, tutto questo non avrà importanza.» Fa una pausa sputando deciso davanti a sé. «L'unica cosa che farà differenza sarà chi è tornato e chi no.» Tira un'altra boccata. «Noi non siamo come loro, noi non siamo qui per uccidere» dice indicando Cedomil con la testa. «Noi siamo qui per difendere un'idea, noi siamo qui perché la Jugoslavia rimanga quella dove siamo cresciuti, quella di quando eravamo bambini.» Adesso mi fissa diritto negli occhi. «Tutto questo non ha senso: non esiste la Bosnia e nemmeno la Croazia, esiste solo la Jugoslavia.»

Rimango un attimo pensoso. Non faccio in tempo a ribattere che la nostra attenzione si sposta su un ronzio alle nostre spalle. Una cerchia di soldati avanza a scatti, urlando intorno a qualcosa che dalla nostra posizione non riesco a distinguere. Sembrano puntare verso una stalla, cinquanta metri davanti a noi, alla nostra destra.

A una decina di metri il mistero è svelato. È una donna. La intravedo appena, si divincola stanca tra le braccia dei soldati, come un uccello intrappolato ormai da troppo tempo nella stessa gabbia. Ha i vestiti laceri, urla tra le risate generali, grida nel vedere la stalla come un agnello davanti al mattatoio. Riesco a scorgerla solo a momenti, brevi istanti tra quello stormo di corpi.

Voglio guardarla meglio, allungo il collo, la cerco con gli occhi. È Danica, la mia vicina di casa... no, no, è Ana, la moglie di mio cugino! Ma che dico, non è altro che Irina! Mi alzo di impulso, quasi senza accorgermene.

È tutto frutto della mia immaginazione. Inginocchiata a terra, i lunghi capelli sciolti che le coprono il viso, la poverina non è che una dei tanti figli di questa terra che si sono trovati al posto sbagliato nel momento sbagliato, catturata da qualche soldato in perlustrazione desideroso di passare una serata diversa dalle altre. Piange carponi a pochi metri dal suo patibolo, quando due soldati la afferrano per le braccia e la trascinano dentro.

«Perché ti lamenti? Stasera ti faremo una donna serba, dovresti esserne onorata.»

Risate della truppa.

La sento urlare e non dico niente.

La sento urlare e non faccio un passo.

La sento urlare e non provo niente.

Quando pochi minuti dopo uno straccio spintole in gola ne soffoca le urla, una parte del mio corpo si rilassa, la tensione accumulatasi nei muscoli diminuisce. Mi solleva non essere costretto a sentirla.

Non so quanto tempo è passato, sono sempre seduto accanto a Goran, la testa ormai vuota da ogni pensiero, quando Jasa esce dalla stalla. Sputa a terra e sorride soddisfatto. Stavolta punta chiaramente verso di noi. «Goran, Dražen, chi vuole unirsi?» si pulisce la bocca con il polso, respiro l'odore di rakija. «Ci stiamo divertendo là dentro.»

Silenzio. Passano pochi secondi.

Goran si alza. «Tu non ti unisci?» dice senza guardarmi. Mi strattona per la manica. Sollevo lo sguardo e incrocio gli occhi di Jasa, mi sta sfidando, vuole capire quanto sia uomo. Mi tiro su e li seguo in silenzio. Goran mi dà una pacca sulla spalla, dice che ho fatto la cosa giusta. Più ci avviciniamo alla stalla e più intenso diventa il ronzio delle voci. Jasa ci fa strada da buon padrone di casa.

«Ti ho portato compagnia, non sei contenta?» è la frase che ci annuncia, facendo scoppiare la truppa in una sonora risata. Niente più che una stalla come tante, bestie dove prima riposavano altre bestie, i nuovi arrivati ben più feroci dei loro predecessori. L'attenzione, che per un momento si è concentrata su di noi, torna subito sulla ragazza, stesa su un letto di fieno.

«L'avevamo legata ben dritta a quel palo,» tiene a informarci Jasa «ma dopo che ha provato due o tre di noi è svenuta e l'abbiamo dovuta spostare per terra; non vorrà mica perdersi tutti gli altri!»

La truppa ride sguaiata, sono ubriachi. «Deve essere stato per quei giochetti che abbiamo fatto con un bastone? Sapete, abbiamo dovuto aiutarla perché le donne bosniache non sono abituate alle misure serbe.» Jasa si è identificato nel ruolo di capo branco. Saranno forse una decina di soldati, tutti intorno alla malcapitata, due che le tengono ferme le braccia, mentre un terzo le versa della rakija in bocca ripetendole: «Non ti preoccupare, non glielo diciamo al tuo Dio!». Un soldato le è sopra, i pantaloni abbassati mentre le urla «Ti piace troia, dimmelo che ti piace!».

La guardo, il volto assente, come se non fosse lì. Ogni tanto cerca di chiudere la bocca quando la rakija diventa troppa da ingoiare, gli occhi altrove, come se la mente avesse abbandonato quel corpo torturato.

Quando il soldato sopra di lei si alza soddisfatto, è Jasa a farci spazio. «Loro, loro» ci indica «facciamo di questi due bambini due veri uomini.» Io e Goran rimaniamo immobili davanti a quella figura stesa in terra, le gambe aperte, gialle su un'enorme macchia di sangue secca sul fieno sottostante.

Goran esita.

Avanzo dopo una piccola esitazione, prima lo faccio e prima me ne potrò andare. Mi sbottono i pantaloni e mi avvicino tra l'incitamento del pubblico intorno. Stendo le gambe sulle sue, abbasso gli slip e chiudo gli occhi.

È quando le sono ormai dentro che lo sento: è quando le sono sopra che sento l'odore del sangue. Quel poco di eccitazione che avevo addosso sparisce e vengo sopraffatto dal disgusto: un corpo vuoto e privo di sensi; sto stuprando una donna praticamente morta.

Cerco di farmi forza, di allontanare il pensiero.

Sotto di me il corpo ha vibrazioni improvvise, come attraversato da minuscole scosse, la pelle giallognola piena di lividi. Più continuo e più le urla aumentano intorno, mi incitano, più aumentano e meno le sento.

Alzo finalmente la testa e la vedo terrea, il viso appoggiato su un lato. Il mio corpo non resiste, non ce la faccio più e vomito. Vomito per quei lividi blu, vomito per il suo odore, vomito per tutti quelli che mi sono intorno.

Silenzio. Per un secondo. Spiazzati da quei miei conati improvvisi, gli spettatori riesumano all'istante l'unico registro che conoscono e scoppiano in un riso isterico. La vista del vomito pare anzi averli eccitati ancora di più.

«Ehi Jasa,» è la voce di Cedomil «non sarà mica che il mezzosangue è ricchione visto che le donne gli fanno schifo?» Mi alzo, tiro su i pantaloni, e mi allontano prima ancora di abbottonarmi, mentre sento Jasa urlare: «Forza Goran, falle vedere tu come si comporta un vero serbo».

Esco dalla stalla e corro, corro lontano finché non stramazzo sfinito, svuotato. Più lontano possibile dalla stalla, non voglio sentire, voglio essere lasciato libero di dimenticare. Avanzo lento, il corpo ogni passo più pesante fino a sprofondare nella terra.

Mi alzo nel bel mezzo di una tempesta di neve. Mi guardo intorno, non riconosco nessuno. Mentre dormivo, il freddo ha preso lentamente possesso del mio corpo. Prima le mani, poi i piedi, a salire fino a soffocarmi, il corpo che a poco a poco diventa non più mio. Mi metto in cammino, intorno il buio. Avanzo nella tormenta in cerca di un riparo, le forze che mi abbandonano. Il dolore è troppo intenso, voglio farmi trovare addormentato dalla morte, steso su questo terreno coperto di neve.

Continuo a avanzare, senza direzione, senza una ragione precisa, finché una luce lontana dà un senso al mio camminare. Avvicinandomi scorgo la sagoma di una casa. Sono ormai abbastanza vicino da riconoscerla. È la casa del nonno a Jajce, la casa delle estati della mia infanzia, è da lì che proviene la luce. Mi faccio forza e corro verso la porta. La trovo chiusa. Busso, spingo, ma non sento rumore né ottengo risposta, il freddo comincia a avvinghiarmi il cuore. Noto solo ora una finestra vicina e guardo dentro, la luce accesa. C'è Irina seduta davanti al fuoco che sorride con Sanja in braccio. Sanja è cresciuta, ride di gusto mentre Irina la stringe. Sembrano felici, sono felici.

Non sono sole.

C'è qualcun altro nella stanza, lo percepisco, so che è lì, ma è fuori dal mio campo visivo. Sento Sanja chiamarlo papà, sento Irina rivolgersi a lui, dolce, ma non sento lui, nemmeno un suono. Vorrei urlare, vorrei attirare la loro attenzione, ma non ci riesco, il grido rimane in gola fino quasi a farmi soffocare. Sbatto con tutta la forza sul vetro ma non mi sentono. Mi hanno dimenticato? Ma io sono partito per loro! Solo per loro! Il panico aumenta, sempre più forte, il corpo avvolto da uno strato di ghiaccio sempre più spesso: ora lo so, morirò davanti a questa finestra. Quando le ultime forze mi stanno abbandonando, quando l'ho quasi dimenticato, improvvisamente lo vedo. Si avvicina a Irina, la bacia e prende Sanja in collo, dopo che lei ha allungato le braccia verso di lui. Cosa stanno facendo? Sono io! Sono qui! Urlo, urlo che è un impostore, urlo di aprirmi, le imploro con le mie ultime forze mentre sento il ghiaccio salire sempre più in alto, fino alla gola, fino a togliermi il respiro.

All'improvviso si gira verso la finestra, guarda nella mia direzione, non mi sente, non mi vede. Lo vedo io in viso, chiaramente.

Sono io. Sembro felice. Sono felice.

Vengo svegliato da Cedomil e Jasa, il viso a pochi centimetri dal mio.

Dove sono? Quanto è che sono qui? Sono passate ore? Giorni?

Barcollano, la saliva che cola dalla loro bocca fino a cadere sulle mie labbra, hanno il fiato impregnato di alcol.

Jasa si fa più vicino per bisbigliarmi: «Stavolta avevi ragione tu, mezzosangue». La bocca spinta dentro al mio orecchio. Riesco a malapena a comprenderlo tanto la voce è impastata dall'alcol.

«La ragazza faceva vomitare, abbiamo deciso di piantarle una pallottola in testa, una in meno a cui pensare.»

Dirk

Procediamo in silenzio per il resto del viaggio. Più cerco di non pensare a Raviv e più finisco a guardare quel corpo disteso ai miei piedi.

Arriviamo al campo che la notizia è circolata, tutti sono fuori a aspettarci, la bandiera già a mezz'asta. Si fanno avanti in molti per prendere il cadavere, hanno perfino scomodato l'infermeria.

Via, via, via da quegli sguardi, via dalle celebrazioni che seguiranno, via dalla retorica della morte eroica che ci verrà appiccicata sopra. Trattengo le lacrime e mi dirigo verso i prefabbricati, ho bisogno di lavarmi, di cambiarmi.

Le strade sono in fibrillazione, la notizia della presa del posto di osservazione è arrivata in città e stanno tutti raccogliendo quel poco che gli è rimasto per partire il prima possibile.

Valigie stracolme, fagotti, mocciosi che piangono.

Non riesco a avere pietà, sono solo delle merde. Ci hanno mandato in questo posto dimenticato da Dio per difendere questi quattro stronzi che appena ne hanno l'occasione ci sparano addosso. Sono solo degli animali. Poche ore fa Raviv era vivo. Capisco solo adesso quanto abbia sempre considerato questo fatto una cosa ovvia, quanto non avessi mai veramente valutato l'eventualità che uno di noi potesse restarci. I bosniaci muoiono, sono qui apposta, a volte anche i serbi, ma non noi, noi no. Noi piantiamo grandi bandiere e ci mettiamo questi ridicoli caschi color puffo in modo che non ci sparino, in modo che tutti sappiano che non abbiamo alcuna intenzione di essere una minaccia per nessuno. Soffochiamo nei container per il caldo afoso, magari ci prendiamo anche le pulci, ma noi dobbiamo tornare alle nostre case sani e salvi, l'opinione pubblica non vuole che si compia un massacro, ma vuole ancora meno la morte di un casco blu. Potrebbe essere uno di loro o un vicino di casa.

I morti bosniaci sono solo un tragico numero, una notizia che non ti fa alzare il viso dal piatto quando passa al TG, ma noi no, noi finiamo sulle prime pagine dei giornali se veniamo presi in ostaggio, figuriamoci se uno di noi ci lascia le penne.

Noi siamo solo di passaggio in questo luogo del quale in fondo a nessuno frega un cazzo, tantomeno a noi.

Immerso nei miei pensieri vedo Florijan che è troppo tardi, lo vedo quando non posso più evitarlo. Cammina nervoso avanti e indietro a pochi metri dall'entrata del campo, mi sta aspettando. Non appena si accorge del mio arrivo schiaccia la sigaretta dopo aver fatto l'ultimo tiro e si avvicina, mani in tasca, lo sguardo preoccupato.

«Dirk,» si presenta senza nemmeno salutarmi «è vero che vi ritirate?»

So che la domanda che ha in testa è un'altra, una di quelle che non ha il coraggio di fare. «Quanto vorrei fosse vero!» rispondo buttando fuori la tensione accumulata nelle ultime ore. Florijan rimpicciolisce davanti a me, quasi spaventato da quell'improvviso moto di rabbia.

«Ho sentito di Raviv» dice senza guardarmi in faccia. «Mi dispiace, era una brava persona, deve essere stato un incidente, vi siamo tutti molto grati per quello che state facendo qui.»

«Vaffanculo Florijan» lo interrompo. «Hai il coraggio di chiamarlo incidente? Hai il coraggio di dirmi che i tuoi amici che ci hanno sparato addosso volevano ringraziarci?» So di essere ingiusto, ma Florijan è l'unico contatto che ho con la popolazione bosniaca, l'unico con cui possa sfogare la mia frustrazione. So che non dovrei prendermela con lui ma non riesco a trattenermi.

«Mi dispiace, credimi.» Lo sguardo sempre più in basso. «Le cose stanno sfuggendo di mano... girano voci diverse, la gente ha paura, c'è chi è arrivato a dire che ci avete venduti...» si trattiene un attimo, mi guarda e finalmente mi chiede: «ma è vero che i serbi stanno per entrare in città?»

Lo allontano con un braccio e mi avvio verso il container.

«Aspetta,» mi afferra «c'è una colonna che parte stanotte per scappare attraverso i boschi.» Lo ascolto senza voltarmi. «Mio fratello dice che dovremmo unirci, non si fida, dice che i serbi metteranno al muro tutti gli uomini musulmani che troveranno al loro arrivo. Io non voglio partire, mio padre è vecchio e credo che saremo più al sicuro qui con voi che in mezzo a una foresta, a farli divertire a giocare al gatto col topo.»

Lo guardo e capisco che pende letteralmente dalle mie

labbra, che si aspetta che gli dica qual è la cosa giusta da fare.

Come vorrei saperlo.

«Bisogna stare calmi» gli dico, cercando di tranquillizzare prima di tutto me stesso. «Anche se i serbi dovessero prendere la città,» comincio a argomentare lentamente «e non è ancora detto che lo faranno, penso che continuerete a essere molto più al sicuro qui, dove possiamo garantire la vostra sicurezza, che in mezzo ai boschi.»

«È quello che gli ho detto anch'io» mi interrompe, gli occhi lucidi, contento che l'abbia rassicurato con le parole che voleva sentirsi dire. «Quindi credi che non ci sia pericolo?»

Mi giro e lo stringo, le mani salde sulle sue spalle. «Un'ora fa uno dei tuoi ha ucciso uno dei miei, me lo sono visto morire in braccio, lo vedi?» gli dico allargando le braccia in modo da mostrare il sangue raffermo che mi copre ancora i vestiti. «E tu mi chiedi se c'è pericolo?»

Lo abbandono lì e rientro. Vado in camera e butto tutto in un angolo, l'elmetto, il giubbotto antiproiettile, i pantaloni. Apro la doccia, è così gelata da togliermi ogni sensibilità alla pelle. Non voglio sentire niente, non voglio provare niente, voglio solo tornare a casa.

Chiudo gli occhi, godendomi ogni secondo di questo doloroso piacere.

Romeo

Romeo González pensò fosse il caso di darsi meno importanza. L'oggetto del suo giudizio era poco più che l'ennesima storia di guerra: protagonista il solito individuo schiacciato da un ingranaggio più grande di lui. Cominciava a sentire la testa pesante. Appoggiò i gomiti sul tavolo, prendendola fra le mani: sarà stata la stanchezza ma cominciavano a tornargli in mente con insistenza le banalità che amavano ripetere Douglas e Lee.

Chiudendo gli occhi Romeo González poteva ancora sentire bussare alla sua porta.

Quanto tempo era passato? Giorni? Settimane?

Il giudice Prunon era entrato con estrema discrezione.

«Disturbo?»

«No, no, affatto, prego.» Il giudice González lo aveva invitato a accomodarsi con un gesto della mano.

«Sono passato solo per portare un breve saluto» aveva detto Prunon sedendosi. «Mancano ormai pochi giorni alla camera di consiglio e mi sono reso conto che non abbiamo ancora avuto l'occasione di discutere faccia a faccia.»

«Prego, mi pare giusto… prego…» aveva risposto confuso Romeo González. Era rimasto spiazzato da quella visita. Si sedette e si mise a guardare il giudice francese in maniera interrogativa, come un imputato in attesa di sentenza. Chiaramente stupito dal suo silenzio, Prunon iniziò a divagare. Si guardò intorno e cominciò a fare domande sulle poche foto esposte nello studio. Chiese di sua figlia e di sua moglie, fece qualche battuta di circostanza sull'Aja e sulla pochezza della cucina olandese. Per quanto si sforzasse di sorridere e di usare un tono amichevole, il giudice González non riusciva a scrollarsi di dosso la sensazione di intrusione che lo portava a rimanere sulla difensiva, in attesa di scoprire il reale motivo della visita.

A disagio per quella situazione di stallo, il giudice Prunon spiegò che era passato in realtà per uno scambio di pareri sul caso, per scorrere le carte processuali con un collega che aveva mantenuto fin dall'inizio uno sguardo non ideologico sulla questione.

L'affermazione sortì l'effetto di mettere Romeo González ancora di più sulla difensiva: era forse venuto per fare un ripasso prima dell'esame? Lo riteneva davvero così ingenuo da credere a un pretesto del genere? Decise di rimanere a ascoltarlo mantenendo l'espressione più neutra possibile.

Il 14 luglio 1995 presso la fattoria di Branjevo, Dražen Erdemović aveva preso parte a una delle azioni che avevano contribuito al genocidio di Srebrenica. L'unica prova a carico dell'imputato era la sua testimonianza, prima in un'intervista ai microfoni dell'ABC, poi nella confessione rilasciata davanti al Tribunale penale internazionale. L'imputato era stato fino a allora l'unico accusato a dichiararsi colpevole nonché l'unico membro del suo battaglione a essere stato arrestato.

Si era dichiarato colpevole, senza cercare giustificazioni, senza attaccarsi ai dettagli di quella sua storia così eccezionale. Con la sua confessione si era chiamato fuori dalla società nella quale era cresciuto e aveva perfino messo a rischio la sua vita e quella dei suoi familiari; tanto che un ex commilitone, Goran Subotovic, gli aveva sparato, dopo l'annuncio della sua intenzione di raccontare l'accaduto.

Il giudice Prunon aveva esposto tutti i fatti in maniera precisa, così precisa da apparire strumentale.

«Ci sono tanti piccoli particolari che ci aiutano a ricostruire il profilo del nostro imputato, non trova?»

Il giudice González sapeva a cosa si riferiva.

Durante le udienze era emerso che già in passato l'imputato aveva salvato la vita di un contadino che stava per essere sommariamente giustiziato. Si era posto tra il poveretto e uno dei suoi compagni per evitare una morte delle tante, una di quelle di cui nessuno avrebbe mai sentito parlare.

«Ma la mattina del 14 luglio 1995, si era trattato di tutt'altra situazione, non crede?»

González continuava a annuire, assorto, in realtà domandandosi se il giudice francese si fosse presentato per controllare se avesse imparato la lezione.

«In fondo» riprese Prunon, contento di constatare come il suo interlocutore non avesse alcun interesse a contraddirlo «se adesso siamo qui seduti a discutere di genocidio lo dobbiamo a lui. Non siamo riusciti a rintracciare nessun altro degli accusati, è vero, ma ogni sua affermazione, quando riscontrabile, si è rivelata esatta.»

Il giudice González aggrottò la fronte senza neanche accorgersene. Non aveva condotto un'attenta analisi filosofica del caso, ma non era uno sprovveduto e non aveva bisogno che un collega gli spiegasse i diversi aspetti della questione. Quella non era la sua prima sentenza, al contrario, era molto più vicina alla sua ultima, e l'avrebbe affrontata come tutte le altre: l'ideale conclusione di mesi di un corretto iter giudiziario. Lo stesso dibattimento si era in fondo svolto in maniera abbastanza lineare, prolungamento del primo incontro fra lui e gli altri giudici.

«L'imputato si è trovato davanti a un grado di innaturale coercizione, non trova?»

La domanda del giudice Prunon aveva così sciolto gli ultimi dubbi nel giudice González. Prunon era lì per assicurarsi il suo voto.

Il conto era semplice da fare. Douglas e Lee avrebbero sicuramente votato per la condanna, mentre Prunon si era esposto fin dall'inizio per l'assoluzione. Anche la scelta del giudice Mboko pareva abbastanza chiara: aveva infatti ben presto iniziato a porre l'accento sulle eccezionali circostanze del contesto.

E il giudice González?

Solo in quel momento si era reso conto di avere fatto trasparire così poco da essere apparso ai suoi colleghi come un mistero. Sarà stata questa nuova fase della sua vita, l'essere tornato a vivere da solo come ai tempi dell'università o il fatto di dovere utilizzare l'inglese come lingua di lavoro, ma si era scoperto meno partecipe del solito, più propenso a ascoltare che a intervenire. Adesso, davanti all'insistenza del giudice Prunon, aveva compreso come quei suoi lunghi silenzi, la testa bassa sul quaderno degli appunti, erano stati interpretati dai suoi colleghi come un segno di indecisione e era quello il motivo della visita da parte del giudice francese.

In realtà Romeo González si era orientato verso l'assoluzione, quasi con naturalezza, senza bisogno di un travaglio interiore. Il fatto che il giudice Prunon si presentasse nel suo ufficio a spiegargli il caso, non solo era un insulto alla sua intelligenza e alla sua professionalità, ma era del tutto inutile.

Douglas e Lee, nella loro ottusità dottrinale, avevano almeno avuto il buon gusto, nonché la stima verso i colleghi, di non cercare quell'infantile azione di lobbying.

Prunon continuava ogni secondo più accalorato. La corte aveva provato che Erdemović era stato un soldato riluttante. Fino all'ultimo aveva cercato di evitare di arruolarsi. Aveva prima tentato di trovare un lavoro e poi di fuggire all'estero con la famiglia, senza riuscirci. Ora che la guerra era finita poteva starsene tranquillo e godersi la moglie e la figlia piccola. E invece no, invece aveva vuotato il sacco, ripudiando per sempre la terra dove era nato, l'unico posto che aveva conosciuto nella sua breve vita, cosciente che dopo una testimonianza del genere non ci sarebbe più stato per lui un luogo sicuro.

Più il giudice Prunon insisteva sulle sue argomentazioni, più le ripeteva con coinvolgimento, e più il giudice González scopriva di detestarlo. Cosa pensava stessero facendo?

Loro non erano la forza del bene. Se il giudice Prunon voleva riempirsi la bocca di belle parole avrebbe dovuto scegliere di lavorare per Medici Senza Frontiere, non per la Corte penale per i Diritti dell'uomo.

Trasportato dai suoi pensieri, di riflesso, il giudice Romeo González ruotò la sedia e si mise a guardare fuori dalla finestra.

Il gesto ebbe il merito di interrompere il monologo di Prunon, confermando però i suoi peggiori timori.

«La sto forse annoiando, giudice González?»

Trascinato di forza nella conversazione, González si girò di scatto e lo guardò dritto negli occhi, con furore, quasi con odio.

Sua moglie.

Ora capiva da dove provenisse quella rabbia. Il giudice francese stava assumendo lo stesso tono di sua moglie!

Al pari di sua moglie, non riusciva a essere costruttivo e, di conseguenza, a raggiungere il risultato sperato. Troppa la spocchia, troppo smaccato il suo sentirsi superiore rispetto all'interlocutore, atteggiamenti che, per reazione, spingevano Romeo a simpatizzare con le argomentazioni opposte.

Negli anni, sua moglie aveva sviluppato un atteggiamento sfacciatamente materno. Se era arrivato dove era arrivato, se aveva fatto la carriera che aveva fatto, era senza dubbio merito suo. «Chissà che avresti fatto nella vita se ti fossi sposato la sciacquetta con la quale uscivi quando ti ho conosciuto» amava ripetere al termine di ogni loro litigio.

Il giudice Romeo González cercò di allontanare il pensiero in modo da mantenere il controllo. Ma più guardava Prunon e più si rendeva conto che ogni suo minimo atteggiamento gli dava ormai sui nervi. Perfino il suo giocherellare con la montatura degli occhiali lo mandava in bestia. Era a un passo dall'urlargli in faccia e cacciarlo dall'ufficio.

Ma non lo fece.

Era pur sempre un giudice affermato, un giudice avanti con l'età e con una fama da difendere. Un litigio del genere fa notizia, le voci girano veloci nel tribunale, cosa avrebbero pensato di lui? Di sicuro avrebbe influito sull'eventuale assegnazione di nuovi casi e lui non voleva avere problemi proprio adesso che poteva essere chiamato a giudicare qualcuno d'importante.

Stava reagendo in maniera infantile. Per quanto non richieste, le opinioni di Prunon erano perfettamente in linea con le sue, era sicuro che una volta che il giudice francese fosse uscito dalla stanza, sarebbe stato in grado di archiviare l'accaduto come un semplice incidente.

Doveva smettere di pensarci. Tutto si era poi concluso in maniera abbastanza rapida, o almeno così ricordava. Il giudice francese aveva capito in fretta la situazione e si era calmato, accantonando il furore messianico con il quale lo aveva aggredito all'inizio.

Romeo González aveva continuato a rispondergli a monosillabi, annuendo alle frasi che cercava di imboccargli. «Non è forse vero?» «Non crede?» «Non lo trova ovvio?» «Cosa ne pensa?»

Ben presto anche la vena profetica si era esaurita di fronte all'apparente disinteresse di Romeo González. Il giudice Prunon si era quindi congedato, incerto sul risultato della sua iniziativa e aveva chiuso la porta dietro di sé con attenzione, quasi non volesse disturbare i pensieri del collega.

Se solo quell'incontro non avesse mai avuto luogo. Se solo il giudice Prunon non fosse intervenuto in maniera così goffa, adesso Romeo González sarebbe a letto, dormendo il sonno dei giusti.

Si mise a cercare nei cassetti della scrivania chiedendosi a che ora aprissero le farmacie in quel paese dimenticato da Dio. Sentiva il bisogno di un'aspirina, doveva fare qualcosa per quel mal di testa, ma chissà dove le aveva nascoste la signorina Von Thiel...

Dražen

Il primo giorno non mi avvicino alla stalla per paura di sentirla urlare.

Voglio cancellare ogni memoria di quello che è successo, vorrei che ieri sera non fosse mai esistita. Da quando sono qui il sonno non è più bagno ristoratore, rifugio dalle fatiche della giornata, quanto piuttosto tentativo di dimenticare, l'estrema speranza di annientare i miei dubbi.

Ormai sono sicuro che mi odiano tutti nel battaglione e chi non mi odia, come Goran, si vergogna adesso di mostrarmi amicizia in pubblico. Già durante la leva avevo capito che l'esercito non ama la diversità, i comportamenti fuori dal coro. Il briciolo di umanità che cerco di mantenere mi sembra un fardello, probabilmente un'ipocrisia.

Non sono serbo, ma non sono neanche musulmano, vesto la terza divisa della mia vita senza mai essermi sentito un soldato.

Non riesco a prendere sonno, mentre tutti paiono dormire profondamente in questa camerata improvvisata. Mi giro e rigiro nella branda, cercando di cancellare ogni pensiero.

Ricordo gli occhi del vecchio.

Quanto è passato, due settimane? Forse tre?
Non saprei dire.

Eravamo non lontano da qui, vicino a Zvornik, porta-
vamo munizioni per mortai a una delle tante montagne
che sostengono uno dei tanti assedi di questa guerra. La
notte non era sicuro spostarsi in quella zona e per questo
Milorad aveva deciso che ci saremmo fermati lì, in quel
paesello arroccato. Non mi dispiaceva rimanere lontano
dalla caserma per una serata, in quel silenzio fuori dal
mondo. Era pomeriggio e cominciava perfino a fare fresco,
nonostante fosse ormai giugno inoltrato. Non avevamo
compiti per il resto della giornata, e io e Goran bevevamo
qualche sorso di rakija seduti su una roccia che sovrastava
la valle, poco fuori il villaggio.

Non ricordo di cosa stessimo parlando, probabilmente
niente di importante, quando sentimmo le urla provenienti
dalle case. Ora che ci ripenso credo di avere dimenticato la fiaschetta regalatami da Irina proprio su quel prato,
nella fretta di correre per capire cosa stesse succedendo.
Un piccolo capannello, un piccolo cerchio di quattro uomini. Nell'avvicinarmi riconosco Cedomil e Jasa. Calciano
qualcosa con rabbia, con disprezzo, mentre due soldati
dell'unità di stanza nel paesino sembrano ridere di gusto.
Le urla arrivano dai loro piedi, e pare che siano le urla
stesse a farli divertire.

È Jasa a accorgersi del nostro arrivo. Fa cenno a Cedomil di smetterla. Sputa sull'uomo a terra, aspetta che il suo
pubblico faccia silenzio e parla.

«Alzati merda.» Intorno tutti si zittiscono d'improvviso.
Jasa è padrone assoluto della scena. «Ti ho detto di alzarti»
insiste con voce decisa. «Non me lo fare ripetere.»

Mi faccio più vicino e finalmente lo vedo, raggomitolato su se stesso, la testa fra le mani, trema mentre emette rantoli strozzati. Da come è vestito potrebbe essere un pastore o un qualsiasi contadino della zona.

«Adesso ti faccio alzare io» aggiunge Jasa mentre tira fuori la pistola dalla fondina. È un vecchio, la faccia coperta di sangue. Solleva le mani, «Mi alzo, mi alzo,» trema «non sparare». Cerca di tirarsi su ma fa fatica, è allora che Jasa gli avvicina la pistola alla tempia. «La riconosci questa?» A questo punto mi faccio avanti e lo aiuto a sollevarsi mettendogli le mani sui fianchi.

«Che cazzo fai, Dražen?» Jasa è troppo stupito perfino per essere infuriato.

«Che cazzo fai tu, Jasa! E chi cazzo è questo?»

Jasa rientra in se stesso e comincia a urlarmi a un metro dal viso «Che cazzo fai tu! È una spia, lo abbiamo trovato a poche centinaia di metri dall'abitato, veniva a guardare come eravamo sistemati per passare informazioni ai ribelli in modo che ci potessero fare la pelle».

«No, no, non è vero» è la voce del vecchio. È la prima volta che la sento articolare dei suoni di senso compiuto, «Io qui ci abitavo... ero venuto a vedere se ve ne foste andati e se era rimasto qualcosa della casa... vi giuro... vi giuro che io non conosco né ho parlato con nessuno».

Jasa pare non sentirlo. «Lo sai come si trattano le spie colte sul fatto, vero Dražen?»

Un contadino, niente più che un contadino, tornato probabilmente nella speranza di ritrovare almeno i mobili che aveva lasciato nella fuga.

«Gli hai trovato armi addosso?» Cerco di mantenermi calmo, di non mostrare paura.

Jasa rimane a pochi metri dal mio viso. «Non c'è bisogno di trovare niente, è una spia e basta!» Jasa sa benissimo quello che sta facendo, non è un novellino. È da abbastanza tempo in questa guerra per riconoscere la differenza tra una spia e un contadino tornato a vedere se la casa sia rimasta ancora in piedi. Lo strattona per un braccio. «Vattene là, davanti al muro della casa.»

Il contadino lo implora, «Ti prego, no», ma riceve soltanto un'altra spinta in risposta. È allora che il vecchio si gira verso di me e il suo sguardo incrocia il mio. Ha due occhi marrone intenso, quasi neri. Piange mentre Cedomil e uno degli spettatori lo trascinano verso il muro, ma non smette di fissarmi. Mi piazzo davanti al vecchio.

«Tu non spari proprio a nessuno senza parlarne con Milorad» dico cercando di rimanere il più freddo possibile.

«Cavati dal cazzo» mi dice con disprezzo. Sta cercando di imporsi sul branco, Jasa sta cercando di farci capire la differenza fra uno che viene dalle Tigri e noi soldati finiti qui per disperazione. «Cavati dal cazzo, Erdemović» ringhia, i muscoli del viso tesi. Mi chiama per cognome, vuole farmi paura.

«Chiamiamo Milorad» scandisco lentamente, cercando di mantenere il tono della voce basso ma fermo, per non aumentare la tensione.

Nessuno intorno a noi parla.

«Guarda che non ci metto un cazzo a spararti, Erdemović: chi difende una spia diventa una spia lui stesso» e mi sputa sugli scarponi. Non sento niente intorno, solo silenzio. Aspetto che Goran intervenga, ma più passano i secondi e più capisco che non interverrà, che ormai si tratta di un duello fra me e la bestia. Vorrei guardarlo negli occhi e dirgli: «Sparami allora» ma non ho il coraggio. Jasa è pazzo, e io sarei ancora più pazzo a sfidarlo. Chissà quante persone ha ucciso per molto meno. Rimango solo, dritto davanti a lui, mentre sento il vecchio dietro di me scivolare lentamente verso terra.

«Penso che adesso possiate smetterla di confrontare la lunghezza dei vostri cazzi» è la voce di Milorad che arriva da dietro le mie spalle.

«Ho catturato una spia e Erdemović si è messo in mezzo per impedirne l'esecuzione» dice Jasa senza smettere di fissarmi.

«Ha catturato un contadino e voleva sbarazzarsene per noia» ribatto io cercando di non abbassare lo sguardo.

«Jasa rimetti la pistola nella fondina,» ordina Milorad «Dražen fatti da parte.»

Milorad si avvicina al vecchio seduto per terra, la schiena al muro, nel tentativo di farsi il più piccolo possibile per scomparire dalla nostra vista. «Alzati.» Il vecchio si alza di scatto, risvegliandosi di colpo, come richiamato dal regno dei morti. Solo in quel momento ci accorgiamo della gora tra le sue gambe. Mentre io e Jasa giocavamo a mezzogiorno di fuoco, il vecchio si è pisciato addosso. «E tu che cazzo ci facevi qui?» Milorad gli parla in maniera più stanca che infastidita.

Il vecchio indica la casa in fondo alla strada: «Quella, è casa mia...».

Milorad si gira verso di me. «Forza Dražen, visto che ti piace tanto, perquisiscilo.»

Mi avvicino tra le risate dei presenti. «Controlla bene i pantaloni» sogghigna Cedomil. Il vecchio puzza di piscio, ma ha con sé nient'altro che le foto di due bambini, un vecchio portafoglio di cuoio e un coltellino utile al massimo a sbucciare una mela.

«Sparisci prima che ci ripensi,» intima Milorad al vecchio «e voi due vedete di smettere di fare stronzate.»

Il vecchio mormora «Grazie, grazie» tre o quattro volte e si allontana goffamente, continuando a voltarsi per paura che Jasa possa puntargli addosso la pistola in un momento di rabbia. Lo scorto fino al limite del paese, mentre dentro di me l'orgoglio per aver tenuto testa a Jasa lascia spazio al timore delle conseguenze del mio gesto. Queste sono le stronzate da evitare: prendermi una pallottola in testa per uno sconosciuto, un vecchio del cazzo, un moribondo che prima o poi lascerà le penne in uno dei tanti rastrellamenti in atto nella zona. Per non parlare della sensazione di disagio che fin da subito quell'avvenimento ha portato con sé, la coscienza di essere uscito dalla mia zona di competenza, dal mio rifugio grigio e sicuro che mi aveva fatto sopravvivere invisibile durante questi anni nell'esercito. A ogni passo monta la rabbia dentro di me, cosa avevo in testa? Perché mi sono fatto coinvolgere? Cosa volevo dimostrare?

L'unica cosa a cui devo pensare è non tornare a casa in una bara.

Arrivati in fondo al paese il vecchio mi saluta con un cenno continuando a ripetere «Grazie, grazie» quasi in lacrime. Vorrei prenderlo a pugni in faccia. Sopraffatto dalla rabbia nei confronti dei miei inutili eroismi, gli sputo dritto in viso.

«Io non sono tuo amico.»

Prendo i pochi soldi che trovo nel portafoglio e glielo sbatto in faccia, facendolo cadere per terra. Lo guardo raccoglierlo in fretta e furia e scappare, come se il ladro fosse lui.

Non mi sbagliavo. Da quel giorno per Cedomil e Jasa divento poco meno che invisibile. E non ho bisogno di sentirli per sapere che non perdono occasione per raccontare la storia *di quando il mezzosangue ha salvato una spia* ai vari battaglioni che visitiamo. Mi basta sentire addosso gli sguardi degli altri soldati in fila per il rancio per sapere che è così. Interrompendo quel loro divertimento ho fatto un passo avanti, mi sono in qualche modo distinto contraddicendo il volere del branco. Errore madornale nell'esercito, soprattutto se sei un mezzosangue in una guerra in cui avere le radici sbagliate può condannarti a morte.

Per un vecchio del cazzo.

Mi tiro su e mi siedo sul letto.

Quanto tempo è che mi rigiro su questa brandina? Quanto tempo che le sue molle mi affondano nella schiena?

Quante notti passerò ancora da solo?

Dirk

Tutti sanno quello che è successo, nessuno mi chiede di raccontare e forse è meglio così. Non devo descrivere particolari morbosi, nessuno mi poggia una mano sulla spalla per chiedermi come mi senta. Tutti sono però gentili, artificialmente gentili, passo la giornata successiva senza ricevere ordini, gli eventi si susseguono così rapidi che la catena di comando ha altro a cui pensare che ai reduci di Foxtrot.

Vivo in un febbrile stato di semincoscienza. Vorrei poter dire che non sto pensando a Raviv ma non è così.

Cammino per il campo senza meta, ascolto indifferente le notizie provenienti da altre postazioni, anch'esse sotto attacco. Prima Uniform, poi Sierra. Questa storia non dovrebbe trapelare, ma basta poco e in città tutti sanno subito tutto. Il contingente tenta di sembrare calmo in modo da tranquillizzare la popolazione: siamo come hostess che si sforzano di sorridere mentre l'aereo precipita. Stanno cercando di prendere la valle di Jadar, continuo a ripetermi, non la città, non c'è niente di cui preoccuparsi, non saranno così pazzi da rischiare un intervento aereo.

I posti di osservazione chiedono cosa fare, un copione sempre uguale, arrendersi o ritirarsi, dato che nessuno considera difendersi un'opzione realmente percorribile. Più passano le ore e più siamo lasciati a noi stessi. Il quartier generale dà a ognuno carta bianca: devono valutare la situazione e decidere quale sia l'alternativa migliore. In sostanza un buffetto sulla guancia e un grande in bocca al lupo, queste sono le indicazioni offerte dalla linea di comando.

In città, nel frattempo, gira voce che Karremans abbia proposto al comandante bosniaco Becirovic di riconsegnare le armi che erano state sequestrate. Offriamo qualche fucile arrugginito e un carro armato senza benzina a un gregge di vecchi, bambini e maniscalchi affamati, per difendersi da un esercito più numeroso e meglio equipaggiato. Trasgredendo agli accordi internazionali stiamo ammettendo la nostra impotenza, è come se dicessimo: armatevi perché quando arriveranno i serbi non saremo in grado di fare molto. Più passano le ore e più anche tra noi soldati girano voci di telefonate infuocate con il quartier generale Nato a Sarajevo durante le quali Karremans ha elemosinato un intervento aereo.

Intanto aumentano piccoli episodi di nervosismo, litigi per questioni inutili, parole grosse che volano per un qualsiasi intoppo nel normale corso della nostra vita quotidiana: bicchieri fracassati con stizza, porte sbattute dietro le spalle. Vedere montare la rabbia negli altri non fa che accrescere la rabbia di ciascuno, il senso di abbandono, la consapevolezza di una missione fin dall'inizio impossibile da portare a termine.

Vorrei almeno sentirmi in colpa per la mia mancanza di partecipazione emotiva, vorrei almeno provare quella paura che vedo negli occhi dei miei compagni, quella paura così irrazionale da sfogare per non esplodere in pianto. Invece non provo niente, guardo tutto come fossi separato da un vetro, spettatore di uno spettacolo che non mi riguarda. Siamo in balìa degli eventi, la sala mensa è diventata un punto di raccolta di notizie sempre meno controllabili. Qualcuno giura che presto sentiremo il rombo degli F-16 nel cielo, altri sostengono che saremo l'agnello da sacrificare sull'altare della conclusione della guerra; fatto sta che stiamo tutti con il naso all'insù alla ricerca di un qualsiasi segno di un intervento Nato.

Arriva la sera, uguale a tutte le altre che l'hanno preceduta. Ormai tutti sanno che i serbi sono a due chilometri dalla città. Guardo verso le colline e vedo solo un temporale estivo avvicinarsi in lontananza. Un temporale estivo, ecco, tra qualche settimana ricorderemo tutto questo come poco più di un temporale estivo, una tempesta stagionale che si è portata via Raviv.

Al secondo giorno dal mio ritorno al campo assisto al rientro dei soldati di stanza al punto di osservazione Sierra. Scendono dal blindato di fretta: non avevo mai visto nessuno così contento di giungere in questo posto dimenticato da Dio. Tutti sanno quello che è successo a Raviv: scoprirsi d'improvviso vulnerabili, parte del conflitto. Col passare delle ore aumentano gli arrivi, prima postazione Kilo, poi Delta: i serbi stanno stringendo l'assedio e noi stiamo rinculando docilmente senza battere ciglio. Si forma una colonia sempre più numerosa di soldati senza ordini che vagabondano in sala pranzo, circondati, appena possibile, da commilitoni in cerca di notizie di prima mano. Un soldato non è abituato a vagare senza disposizioni e è proprio questo vuoto a alimentare la paura e a spingere molti a tentare di capire cosa stia davvero succedendo.

Mi unisco a un gruppo più per mancanza di alternative che per reale interesse.

Sentiamo i nuovi arrivati raccontare una storia già nota: l'attacco serbo, l'ordine di non rispondere al fuoco, la resa all'arrivo delle truppe. Una volta preso il campo, i caschi blu vengono disarmati e possono scegliere tra il ritiro e il restare prigionieri. Appare ormai come una procedura standard, quello che con ogni probabilità sta succedendo agli altri posti di osservazione.

La vera notizia è però un'altra: i serbi avanzano rapidi verso la valle, se continuano di questo passo saranno presto visibili in città. Tra noi la tensione aumenta di ora in ora: c'è chi si dice preoccupato, certo che saranno qui fra poche ore, chi ostenta sicurezza sul fatto che prima o poi interverranno i bombardieri Nato. Molti si chiedono perché non ci arrendiamo e ce ne torniamo a casa, lasciando questi pezzenti a scannarsi fra di loro come avremmo dovuto fare fin dall'inizio.

Rimango in un angolo a osservare discussioni che procedono ormai in cerchio. «Hanno ragione, non saremmo mai dovuti finire qua.» «La nostra presenza è ridotta a paravento per l'incapacità della comunità internazionale.» Siamo nient'altro che spaventapasseri abbandonati in mezzo al campo, anche i corvi lo sanno e ci volteggiano intorno in attesa del momento giusto per colpire.

È l'arrivo di un graduato a ridare un senso al nostro tempo.

«Nessuno abbandona la base, non c'è alcun pericolo» sono le parole che spostano subito l'attenzione verso di lui. «Le truppe serbe sono al momento a due chilometri da qui, ma la Nato ha dato loro un ultimatum: se entro le 6 di domattina non avranno ripristinato il cessate il fuoco e non saranno rientrate entro i confini iniziali, interverranno i bombardieri.» Le mamme del comando hanno evidentemente dato ordine di tenere alto il morale di noi bambini sperduti.

«Se ci arriviamo alle 6 di domattina» sibila una battuta dal fondo della sala.

L'ufficiale ignora il commento e continua: «Abbiamo riposizionato le truppe fuori città, la nostra nuova posizione è stata comunicata al comando serbo come linea ultima di non prevaricazione». In fondo le Nazioni Unite sono un padre misericordioso, danno sempre una seconda possibilità ai figli disobbedienti.

«Ripeto. Nel caso le truppe serbe cerchino di superare o mettere in alcun modo a repentaglio le nostre posizioni a difesa della città, la base di Aviano è autorizzata a intervenire per impedire un'ulteriore prevaricazione degli accordi.»

Cosa non darei per scoprire se abbiamo davvero un poker in mano o se stiamo ancora una volta bluffando.

Uno scoppio in lontananza fa scendere il silenzio.

Una breve pausa, poi un colpo di mortaio a circa un chilometro da noi fa saltare tutti in piedi. Segue un'esplosione violenta, vicina, a poche decine di metri, un boato così forte da farci quasi cadere per terra.

A quanto pare non sono l'unico interessato a capire se la Nato stia bluffando o meno.

Un secondo di gelo e la sala si anima.

Ognuno raccoglie le armi ammassate alla rinfusa agli

angoli della stanza. Il nuovo arrivato, finora impegnato a rassicurarci su come la situazione fosse sotto controllo, è adesso attaccato alla ricetrasmittente nel disperato tentativo di farsi spiegare cosa stia accadendo.

Corro premendo forte una mano sull'elmetto, come se quello potesse in qualche modo proteggermi da quella pioggia di granate.

Mi fermo fuori dalla porta, impietrito dallo spettacolo che appare davanti ai miei occhi.

All'uscita del prefabbricato c'è una piccola piazzola, circondata da una rete metallica che delimita il quartier generale: il fossato ideale che separa noi, forze di civilizzazione, dai barbari che siamo stati inviati a proteggere.

E lì sono i barbari.

Ammassati intorno alla recinzione donne e bambini assediano la rete, il viso schiacciato sulla griglia metallica nella speranza di farsi il più vicino possibile.

Piangono, mi guardano, spalancano la bocca, mi fissano, mostrano i bambini, alimentano un baccano infernale che non riesco però a sentire. Vedo la scena svilupparsi davanti ai miei occhi come un film muto la cui unica colonna sonora sono i bombardamenti che infuriano.

In mezzo a questa tempesta il bandierone che teniamo su, issato sopra il quartier generale, deve sembrare ai loro occhi l'unico approdo sicuro.

Rimango immobile mentre intorno a me gli altri soldati corrono in un balletto confuso e senza logica, ritmato dal rumore delle bombe che continuano a esplodere.

Nel cielo solo nuvole, chissà quante ore dovremo ancora aspettare prima che qualcuno si degni di intervenire.

Faccio scorrere lo sguardo lungo il perimetro della recinzione, vedo i visi aumentare ogni secondo, crescere a ogni battito di ciglio, anime dannate accalcate alla porta del paradiso.

Finché qualcosa accade. Qualcuno alla mia sinistra è riuscito a fare un buco nella rete, un buco minuscolo a terra, attraverso il quale sta disperatamente spingendo un bambino. Non passa molto prima che gli altri lo vedano, non passa molto prima che cominci la ressa verso quel passaggio per la libertà. Alcuni soldati si fanno intorno e aiutano il piccolo sofferente tra le maglie della rete metallica. Vedere i caschi blu aiutare un civile a entrare incoraggia la folla, spingendola a ammassarsi, a calpestare mani, a arrampicarsi sulle spalle, tirare capelli nel tentativo di avvicinare i propri figli a quel pertugio che pare l'unica porta sicura verso il futuro.

Finché il bambino passa, scivola fra le mani di un soldato e corre verso l'entrata del quartier generale, verso di me che sono ancora lì, immobile, incerto sul da farsi.

Il successo del piccolo non fa che aumentare la tensione, le spinte, i morsi, finché all'improvviso gli dèi paiono averne avuto abbastanza e, così come avevano iniziato quel castigo dal cielo, lo concludono. Rimaniamo entrambi in ascolto, i soldati di qua dalla rete, i civili accampati intorno.

I mortai hanno smesso di tuonare.

Se volevano tastare il polso alla comunità internazionale ci sono riusciti. Se si chiedevano quale risposta sarebbe arrivata dal cielo adesso la conoscono, se volevano farci paura, ci sono riusciti.

L'isteria dura comunque qualche ora, molti devono liberarsi della tensione nervosa accumulata durante l'attacco, della paura di morire, urlano che i serbi arriveranno in città e taglieranno a tutti la gola.

La guerra accentua le capacità di adattamento di ognuno di noi. Lo *status quo* degli ultimi anni lascia ora spazio a un nuovo equilibrio. Le donne, i vecchi e i bambini rimangono attaccati alla rete insieme ai padri di famiglia. Ora che siamo a portata di mortaio preferiscono mantenersi il più vicino possibile a quello che considerano l'unico edificio che non verrà bombardato.

Mi do da fare a testa bassa, senza un attimo di pausa, cercando di essere così impegnato da non dover pensare.

«Gli uomini cominciano a partire» dice Florijan aiutandomi a distribuire beni di prima necessità agli accampati fuori dalla rete. «Resta,» gli rispondo con fare sicuro, in realtà implorandolo «sei impiegato Onu, non hai nulla da temere e ci sarà bisogno di persone di buon senso nei prossimi giorni.»

Verso le 19 riceviamo finalmente indicazioni sul da farsi. Porteremo i rifugiati fuori da Srebrenica, verso la base di Potočari. Donne, vecchi e bambini hanno la priorità, i serbi hanno autorizzato l'operazione.

Arrivano alcuni pulmini raccattati alla meglio, li riempiamo in fretta cercando di mantenere la calma e di vincere l'iniziale diffidenza dei locali.

Mi affianco a Florijan a cui è stato affidato un megafono in modo da legittimarne il ruolo.

«Ci sarà posto per tutti nei pulmini, questo è solo il primo viaggio.»

La folla spinge, ondeggia, ma si rassegna ben presto a accettare le regole del gioco.

Tutto procede in maniera sorprendentemente fluida.

Una volta partita la prima spedizione ci sediamo sfiniti, la tensione che lascia il posto alla stanchezza.

«Ci vorrebbe una partita a backgammon» sorride Florijan dandomi un colpetto alla spalla. Non l'ho mai apprezzato quanto adesso.

Florijan si fa serio. «Siete l'unica cosa che c'è rimasta,» dice «spero che lo sappiate.»

Rimaniamo in silenzio, seduti, la testa così piena da sentirla vuota. Non sarà neanche passata mezz'ora quando rivediamo all'orizzonte i mezzi tornare, pronti a caricare altri rifugiati.

Pieni.

Non abbiamo neanche il tempo di chiedere spiegazioni.

«Le forze bosniache non ci permettono di proseguire,» dice un soldato appena sceso da uno dei mezzi «sostengono che evacuando donne e bambini faciliteremo le stragi. Suppongo che a questo punto passeranno la notte tutti insieme qui fuori. Se non vogliono salvarsi loro, io non so davvero cosa possiamo fare.»

Dražen

Al secondo giorno di stanza comincio a trovare strano che non ci facciano rientrare. Continuano a arrivare camion carichi di munizioni e rifornimenti, me ne tengo alla larga eseguendo esclusivamente gli ordini. Mi sforzo di non pensare troppo a ciò che sta succedendo. Cerco di non collegare i punti in modo da non essere costretto a vedere l'immagine intera. Tento di convincermi che ci stanno regalando qualche giorno di villeggiatura in campagna al riparo dall'arsura di luglio. Di rientrare a casa non se ne parla, è più di un mese che le licenze sono ferme a data da destinarsi.

Parlo poco, evito anche i miei compagni: di tutta questa storia spero solo che un giorno, riguardando al passato, riuscirò a capire se e perché ne sia valsa la pena.

La sera mi siedo in disparte, riascolto il mito di Lazar – *popolo serbo, popolo eletto* – con distacco, senza trasporto e con scarso interesse. Sorbirsi per l'ennesima volta la novella di un principe sconfitto, morto sul campo di battaglia, non è certo quello di cui ho bisogno in un momento come questo. Sentire paragonare quella che è e rimane una guerra fratricida a una battaglia avvenuta più di seicento anni fa mi farebbe sorridere, se non fosse per tutto il dolore che ci circonda.

È oggi, al terzo giorno, che ho smesso di mentirmi. Mladić si sta preparando a prendere la città, e non bisogna essere un fine stratega per capirlo. Nei mesi prima di arruolarmi prestavo grandissima attenzione all'evolversi del conflitto, mentre adesso, adesso che ne sono parte, mi sento passivamente trasportato, abulico riguardo a tutto ciò che mi accade intorno.

Ricordo però la marcia. Una delegazione di bosniaci era riuscita a attraversare il territorio controllato dall'esercito serbo e era arrivata a Sarajevo per incontrare il vice-primo ministro Zlatko Lagumdžija. La città è stretta sotto assedio, un'isola mal protetta dalle truppe Onu alla quale non riescono a far arrivare né viveri né medicinali. E cosa decide Lagumdžija? Di rifiutare gli aiuti diretti a Sarajevo finché le enclavi a est non riceveranno a loro volta i camion degli aiuti.

Pazzo.

Le enclavi a est erano già perse, i bosniaci non avevano le forze né i mezzi per affrontare qualcosa che andasse oltre a piccoli episodi di guerriglia, attacchi infami le cui conseguenze ricadono tuttora sulla stessa popolazione civile che pretendono di proteggere.

Rifiutare gli aiuti a Sarajevo finché non ne riceveranno le enclavi: l'intera capitale affamata come punto d'impegno, a difesa di una piccola città lontana, comunque spacciata.

Adesso il generale Mladić si sarà stancato di giocare al gatto col topo. Srebrenica ormai è poco più di un simbolo dell'inevitabile, ultimo castello senza mura di un paese allo stremo. Prenderla certificherebbe la creazione di una Bosnia serba. Rimane da decidere soltanto il quando e il come.

Le voci corrono. Le nostre truppe accampate intorno alla valle hanno iniziato prima timidamente, poi sempre con maggiore insistenza a sparare colpi di mortaio. Penso che il generale l'abbia fatto per vedere fino a che punto possa tirare la corda con la Nato più che per attaccare quel poco che rimane delle difese cittadine. E la comunità internazionale non ha tradito le sue attese, rimanendo immobile come previsto.

Continuano a arrivare poche notizie filtrate da una lunga catena di passaggi di bocca in bocca. Pare che adesso si stia negoziando la resa della città sotto la supervisione dell'Onu, si stanno organizzando pullman per trasportare i civili nella zona bosniaca in modo da prendere il controllo dell'enclave. Possiamo sfottere quanto ci pare i puffi, ma se non fosse per la loro presenza con ogni probabilità la questione sarebbe stata risolta in maniera molto diversa. È chiaro come sia il presidio delle truppe olandesi in città a assicurare che tutto si svolgerà in modo controllato, anestetizzato, senza spargimenti di sangue. I loro occhi sono gli occhi del mondo, il generale starà molto attento a non sgarrare. Pochi giorni fa è morto un casco blu olandese. Un incidente, a quanto ho sentito, pare si sia trattato addirittura di un colpo partito da parte delle truppe bosniache stesse. Per quanto la si voglia controllare, presto si renderanno conto anche loro che questa è e rimane una guerra.

Il generale Mladić starà brindando: tutto sta andando meglio di come potesse immaginare.

Forse anch'io sono qui per provvedere all'evacuazione, stavolta non mi hanno chiamato a muovere munizioni, stavolta muoverò uomini. Forse la fine di tutto questo è meno lontana di quanto creda. Forse stavolta me ne torno davvero a casa.

Dirk

La notte dormiamo tutti poco e male. Il pensiero dell'uomo nero accampato sulle montagne intorno alla città ci permette di chiudere un occhio solo per brevi intervalli. Scendo dalla branda prima dell'alba e esco in cortile. Lungo la rete tutti dormono, coperti alla bene e meglio con quello che hanno arraffato abbandonando le abitazioni. Li guardo e per la prima volta riesco a provare compassione: compassione per la loro paura, compassione per l'incertezza riguardo al futuro che li attende al risveglio. Vorrei poterlo definire il *nostro futuro* ma, per quanto sia anch'io terrorizzato all'idea della presenza serba in città, sono cosciente del fatto che i nostri destini prenderanno direzioni distinte. Guardo l'orologio. Tra mezz'ora scade il nostro ennesimo ultimatum, se i serbi non indietreggeranno stavolta risponderemo, stavolta risolveranno tutto i caccia.

Forse.

Scrutando il cielo mi chiedo se il comando a Sarajevo metterà davvero in pericolo il gruppo di caschi blu inglesi ostaggio serbo per difendere una causa ormai persa. Vale davvero la pena farli ulteriormente incazzare solo per eliminare qualche decina di carri armati? Alle 6 scade anche l'ultimatum serbo, almeno non si potrà dire che non sappiamo coordinarci.

In che situazione del cazzo sono finito.

Dobbiamo cominciare a andarcene, ci hanno lasciato quarantott'ore per farlo. Sarebbe la prima cosa sensata che facciamo da mesi: in queste condizioni non ha davvero più senso restare. Non serve a noi né a questi poveracci addormentati qui fuori. Rimane solo da gestire al meglio l'inevitabile transizione verso il comando serbo.

Guardo la massa di disperati accampati intorno al nostro quartier generale. Tutto è calmo.

Respiro.

Non succederà niente, né oggi né nei giorni a venire. Sono capaci di lasciarci per mesi in questa terra di nessuno: stanno solo cercando di forzare la mano per sedersi al tavolo delle trattative in una posizione di dominio, con una carta in più da giocare nei confronti sia dei bosniaci che delle Nazioni Unite. Non lanceranno una vera e propria invasione, non verranno a prendersi la città, non ne hanno nessun interesse: come vorrei lo capissero anche questi bifolchi tremanti qua fuori. Le forze bosniache sono agli sgoccioli e a Sarajevo sono seduti a un tavolo per decidere del futuro della Bosnia. Perché spargere del sangue per qualcosa che otterranno comunque tra pochi giorni? I caccia non interverranno perché non ce ne sarà bisogno, ne sono sicuro.

È un colpo di mortaio a darci il buongiorno.

Lontano, ovattato, risveglia la tendopoli. Li vedo guardarsi intorno, incerti se sia successo davvero o se non si tratti dell'ennesimo incubo, solo un po' più reale degli altri.

È la seconda esplosione a causare il panico.

Si susseguono i passi pesanti di un nemico invisibile che pare ogni momento più vicino. A ogni esplosione la tensione aumenta, le urla salgono sempre più forti nell'intervallo tra i colpi dei mortai. Le mamme stringono i figli in un abbraccio, gli chiudono gli occhi, gli tappano le orecchie, come potessero davvero nasconderli dall'inevitabile. Sento decine di occhi su di me, sento voci disperate urlarmi frasi che non capisco.

Che ingenuo sono stato.

La folla si aggrappa alla rete.

«Scendono, scendono.»

Perfino gli altri caschi blu si stanno facendo prendere dal panico mentre i civili si strattonano, spingono, cercano di rompere la rete con la forza della disperazione. Potessero la strapperebbero con i denti, con la rabbia di chi vede a pochi passi la sua ultima possibilità di sopravvivenza. Le donne, i vecchi, chiunque non abbia le forze per accanirsi contro quella barriera metallica si lascia sopraffare dalle lacrime, ci guardano implorandoci di non dimenticarli mentre la folla intorno sembra schiacciarli.

Rimango immobile: l'intensità della scena è tale che mi paralizzo.

È una pacca sulla spalla a rianimarmi.

Un soldato è corso con un paio di cesoie a allargare il buco nella rete, in modo da farci passare più persone possibili. Mi affretto a dare una mano, mentre il rumore delle esplosioni copre ormai ogni altro suono. Cerchiamo di renderci utili ma finiamo solo per aumentare il caos. Intorno a noi mosche intrappolate sbattono la testa contro quest'unica finestra che le illude mostrando loro l'ultimo spicchio di cielo.

Spingono, strattonano, tirano capelli nella speranza di sorpassare gli altri disperati. Cerchiamo di affrettarci a aprire un varco mentre la gente si accalca davanti a noi. Tentano di strisciare al di là della rete, tutti insieme, rallentando in questo modo il passaggio attraverso l'unica via di fuga. Mi sforzo di rimanere calmo. Aiuto a strappare questa protezione pensata per tenere lontano gli stessi che stiamo disperatamente cercando di far entrare.

Come se una recinzione facesse davvero la differenza, come se noi potessimo davvero proteggerli.

Allungo il braccio dall'altro lato, cerco di trascinare chi posso e come posso in modo da farlo arrivare da questa parte, li afferro senza criterio e li trascino dentro al cortile. Tiriamo, tiriamo, senza fare troppi complimenti. Gli sforzi di tutti si accaniscono contro quella rete, come se da questa parte ci fosse davvero la salvezza.

D'improvviso il panico cessa. Attratti da una forza invisibile, quelli che fino a pochi secondi prima lottavano nella polvere, adesso corrono via, tiriamo dentro chi era rimasto a metà del guado.

Alzo la testa e capisco.

Il cancello principale è stato aperto permettendo a un fiume umano di irrompere nel piazzale. Corrono, cercano di accaparrarsi i posti più vicini all'edificio, intorno a quella bandiera blu che nel loro immaginario rappresenta l'ultimo porto sicuro.

Il piazzale si riempie in pochi minuti. Migliaia di persone occupano ogni centimetro libero prolungando il campo profughi formatosi fuori. Rimane in piedi soltanto la recinzione, simbolo di una divisione tra *noi* e *loro* che gli eventi hanno di fatto cancellato.

Tale è il caos dopo questa improvvisa marea umana che passa del tempo prima che ci si accorga degli aerei apparsi sopra le nostre teste. La notizia corre veloce sulle grida dei nostri ospiti e in poco più di un minuto siamo tutti con il naso all'insù a guardare i caccia della Nato fare capolino tra le nuvole.

È un urlo, una voce sola. In un momento la folla passa dal panico, dalla disperazione più profonda, all'euforia. Vengo d'improvviso abbracciato da un energumeno che mi stampa un bacio sull'elmetto e pronuncia qualcosa d'incomprensibile mostrandomi felice i denti gialli.

Per la prima volta sento il nostro destino e il loro come una cosa sola.

Le stesse nuvole grigie che fino a pochi minuti fa parevano presagio di sventura, sono adesso il preludio alla nostra rivincita. Il vocio nel piazzale improvvisamente diminuisce mentre tutti cercano di scovare l'ombra di un'ala tra le nuvole.

Tiro un profondo sospiro: anche i colpi di mortaio sembrano diminuire o forse sono io a sentirmi ottimista.

Le truppe serbe, ormai scese a metà collina, rallentano, mentre la folla risponde con un boato all'esplosione della prima bomba che centra in pieno un carro armato. Tutti si abbracciano, le donne piangono, perfino alcuni di noi saltano in preda all'eccitazione.

Il suono lontano di una seconda esplosione allenta la tensione: non vi hanno venduto, non ci hanno abbandonato, stavolta faremo la cosa giusta.

L'euforia dilaga, ci abbracciamo, urliamo, ridiamo

in maniera incontrollata. I volti si distendono. Le loro paure rimarranno solo un incubo lontano: i carri armati serbi accanto alle loro case, le mani dei soldati sulle loro donne.

Non accadrà.

Almeno non stavolta.

Li guardo festeggiare, vedo le lacrime ma non riesco a gioire: in questi mesi ho perso l'abitudine alla felicità e al lieto fine.

Continuiamo a rimanere con il naso all'insù.

Il rombo si fa sempre più distante fino a scomparire piano, piano. Il dubbio che si sia trattato solo di una piccola parentesi assale la folla.

Cala il silenzio.

Poche decine di secondi e i carri armati ricominciano a scendere, la frequenza delle granate pare adesso addirittura aumentare. Rimaniamo in attesa, l'orecchio alla ricerca di un qualsiasi segnale dal cielo. Scrutiamo attenti nella speranza che un'ala sbuchi di nuovo da dietro le nuvole. Qualcuno prova a indicare un punto, un'ombra, ma sono gli ultimi brevi momenti di eccitazione. Prendiamo coscienza del fatto che è solo il nostro desiderio a farci immaginare quello che vorremmo vedere.

E che non vedremo.

Che cazzo è successo? Chi gli ha ordinato di rientrare?

Quello che doveva essere l'ultimo deterrente, l'iniziativa che avrebbe definitivamente fermato l'avanzata serba, sembra invece aver accelerato le operazioni sulla collina, i mezzi pesanti sempre più vicini alle porte della città.

I primi colpi di artiglieria fanno calare di nuovo il silenzio, finché qualcuno comunica che si tratta di colpi di avvertimento, lanciati dalle nostre postazioni fuori città. Un ultimo brivido corre tra la folla convinta di assistere all'inizio della riscossa o almeno a un tentativo di difesa.

Illusi.

I nostri mirano di proposito diversi metri sopra al bersaglio, in modo che ai serbi non venga nemmeno il dubbio che gli stiamo davvero sparando addosso e non rispondano al fuoco.

Rimaniamo immobili mentre l'entusiasmo va piano piano scemando. Col passare dei minuti diminuisce anche il ritmo delle esplosioni dei mortai intorno.

Le postazioni fuori città hanno smesso di sparare, spegnendo gli ultimi barlumi di luce negli occhi dei nostri ospiti.

La tensione è ormai visibile anche nei volti di noi soldati. Ci viene ordinato di distribuire acqua e asciugamani bagnati tra la folla ormai stesa da ore sotto il sole di luglio.

Obbedire è non pensare.

Cerco di mantenermi calmo, lo sguardo basso per allontanare il più possibile il momento nel quale la popolazione prenderà coscienza dell'inevitabilità della situazione.

Ci prenderanno prigionieri o ci rimanderanno direttamente a Sarajevo?

Il pensiero di passare mesi in mano serba, trofeo di guerra da tenere in vetrina finché non sia finito il conflitto, mi fa venire i brividi.

Passo in rassegna le facce dei civili. Per lo più sono rimaste donne, vecchi e bambini, la gran parte degli uomini abili si è data alla macchia ore fa.

Qualcuno mi appoggia una mano sulla spalla.

«Ehi,» il viso di Florijan pare di colpo invecchiato «stanno arrivando, vero?»

Mi limito a fare un cenno con la testa.

«Ho seguito il tuo consiglio, né mio fratello né mio padre si sono uniti alla colonna che è partita per i boschi... più di una settimana di cammino a queste temperature, mio padre non sarebbe mai sopravvissuto... per finire poi a fare da bersaglio mobile per le truppe serbe...»

«Hai fatto bene» rispondo. Vorrei non avergli consigliato niente. «Possiamo ancora assicurare l'incolumità di chi è rimasto, mentre quelli che sono partiti per i boschi...»

Vorrei almeno credere in quello che dico.

«Certo, certo» ripete Florijan sollevato.

«Aiutaci a mantenere tutti calmi,» aggiungo sforzandomi di guardarlo negli occhi «quello che succederà nelle prossime ore non sarà facile per nessuno, il panico peggiorerebbe solo la situazione. Lo capisci? Parla a tuo padre, parla a chi vuoi tu, non so perché abbiano ritirato la copertura aerea, ma ormai dobbiamo solo cercare di rimanercene tranquilli e torniamo tutti a casa sani e salvi.»

«Questa è casa nostra» risponde Florijan abbassando lo sguardo. «Non so proprio cosa possa esserci per noi dopo tutto questo» aggiunge prima di sparire tra la folla.

È un'attesa silenziosa la nostra: migliaia di persone fissano il vuoto, mentre noi continuiamo a distribuire asciugamani come se tutto fosse normale, l'orecchio in attesa di un qualche suono proveniente dalla strada. A ogni passo qualcuno ci prende la mano, la bacia e ci parla in lacrime.

Le mamme ci portano i figli, ce li mettono in braccio, ce li spingono contro il petto, urlano, piangono. Ma la maggior parte della popolazione è in trance, alla ricerca di una logica che non riesce a trovare. Quante volte hanno già vissuto questo momento nei loro incubi? Anni trascorsi sotto le granate, consapevoli che prima o poi sarebbe successo. Adesso che i loro peggiori presagi si sono realizzati, adesso che non possono più sperare in un colpo di scena, in una qualsivoglia via di uscita, sembrano persi, svuotati della loro unica ragione d'esistere.

Rimaniamo in ascolto. Si sentono ancora pochi spari in lontananza, qualche raffica di mitra, qualche colpo di pistola. A guardare i volti dei miei colleghi, giurerei che nessuno voglia credere che i serbi stiano davvero per arrivare.

Tutto è avvenuto in fretta: per mesi, anni, abbiamo convissuto con l'instabilità di questo equilibrio fino a crederlo immutabile. Più la situazione peggiorava e più i profughi si ammucchiavano intorno alla nostra bandiera, convinti che significasse ancora qualcosa, convinti che oggi valessero ancora le regole di ieri. E noi abbiamo in qualche modo voluto credere a questo segno, interpretandolo come prova della nostra importanza, sicuri che a noi non sarebbe potuto succedere niente.

Comincio a temere che non sarà così.

Guardo la strada che porta al campo, quello che rimane di un viale delimitato da case mitragliate e tetti cadenti, e per la prima volta provo paura per ciò che ci sta per accadere. Non è la paura dell'ignoto, quanto la sensazione d'impotenza di fronte agli eventi che ci aspettano. Non avrei mai pensato di rimpiangere la monotonia di questi mesi.

Come siamo arrivati qui? In cosa abbiamo sbagliato? È l'apparizione di una jeep serba in fondo alla strada a riportarmi al presente e alla sua inevitabilità.

Procede veloce nella nostra direzione, capofila di una breve processione di blindati e camionette.

Il silenzio intorno si fa profondo, l'inquietudine lascia il posto al terrore.

È mezzogiorno, saranno quasi trenta gradi e sono ore che i civili sono accalcati sotto il sole, ma si fanno comunque vicini l'un altro, aumentando il tanfo che emana quella massa di corpi sudati.

Continuo a distribuire asciugamani bagnati mentre vedo i serbi scendere dalla jeep, il fare sicuro, disporsi in fila mitra alla mano, il sorriso di chi sa di aver vinto. Un interprete urla qualcosa agli sfollati con un megafono, nessuno risponde, nessuno reagisce. Il messaggio ha come unico effetto quello di aumentare la pressione all'entrata del campo Onu.

È il nostro stato maggiore a fare gli onori di casa. Si fanno incontro, parlano. Mi domando se abbiano ancora il coraggio di ripetere la solita litania del mancato rispetto degli accordi internazionali.

La tensione aumenta in maniera direttamente proporzionale al numero di soldati che scendono dalle camionette. Sono organizzati, scaricano grosse ceste piene di pane e acqua. Professionali, riprendono ogni mossa con una telecamera, impazienti di mostrare al mondo le loro vere intenzioni. Gli sfollati esitano, guardano le pagnotte sospettosi. Rimangono in silenzio, immobili, lo sguardo basso, come se accettare quel dono potesse in qualche modo compromettere la loro integrità, come se accettando quell'offerta finissero in qualche modo per collaborare con il nemico. Solo i bambini si riempirebbero le mani di caramelle se non fosse per le mamme che li stringono al petto.

Nessuno ha il coraggio di fissarli, ma tutti li controllano con la coda dell'occhio. Aspettiamo che accada qualcosa di terribile, qualcosa d'ignoto e mostruoso.

E invece non accade niente.

Restiamo ore senza ricevere notizie. Con l'avanzare del pomeriggio si affaccia in noi la speranza che quello formatosi non sia altro che un nuovo equilibrio. I serbi controllano ora la città e presidiano questo campo profughi improvvisato non permettendo a nessuno di uscire. Rimaniamo confinati diligentemente nella nostra gabbia.

Nonostante i serbi non facciano niente per peggiorare la situazione è sufficiente la loro presenza a farla degenerare in poche ore. Il piazzale è troppo piccolo per contenere la folla e i civili cercano in ogni modo di mantenersi lontano dagli invasori ammucchiandosi il più vicino possibile al nostro quartier generale. Sono costretti a defecare davanti a tutti rendendo l'aria nauseabonda, alcuni vecchi non reggono e finiscono per impregnare di piscio i loro vestiti, esponendosi al ludibrio dei nuovi arrivati. Ormai anche noi soldati evitiamo di avvicinarci ai profughi e rimaniamo in un angolo tra di noi, a attendere in silenzio l'evolversi degli eventi.

Due donne hanno le doglie per la tensione e partoriscono nella polvere, aiutate dopo qualche esitazione dal nostro personale sanitario. Urlano in un angolo, gridano provocando l'ilarità dei soldati serbi.

Le voci si rincorrono, sussurri attraversano questa tendopoli improvvisata. Qualcuno dice che a Sarajevo è stato negoziato un cessate il fuoco e che i serbi si ritireranno presto, che tutto questo casino non è che un modo per sedere al tavolo dei negoziati in una posizione di forza, molti giurano di aver sentito che presto i civili saranno evacuati e che gli uomini saranno controllati in cerca di criminali di guerra.

Mi tengo a distanza dai profughi, tutto questo non mi riguarda.

Con il caldo e il passare delle ore la situazione sanitaria non va che peggiorando, un paio di anziani non resistono e collassano sfiniti per questi due giorni di stenti. Ci viene ordinato di scavare una fossa comune dietro al quartier generale in modo da seppellirli. Aggiungono a mezza voce di farla ampia: «Sappiamo tutti che non saranno gli unici a non arrivare a domani». Molti di noi si offrono volontari, hanno bisogno di distogliere la loro attenzione da tutto questo.

Il sole è ancora alto quando arrivano gli autobus. Sono tanti, almeno cinquanta, forse molti di più. Vengono parcheggiati in modo che siano visibili da ogni angolo del campo.

I serbi si muovono disinvolti: sono stati bene istruiti, sanno cosa stanno facendo, ma lo sappiamo anche noi?

La maggior parte del contingente Onu è ormai raccolta qui intorno al campo. Del comando nessuna traccia, se hanno ricevuto degli ordini, se hanno un piano, non ci rendono partecipi, siamo abbandonati a noi stessi.

Con l'arrivo degli autobus le voci si rincorrono impazzite: i civili verranno tutti evacuati in un'unica colonna scortata dai mezzi Onu fino a Tuzla. No, altri insistono che i serbi hanno richiesto di separare gli uomini dalle donne in cerca di criminali di guerra. Quest'ultima notizia aumenta il panico tra i civili: dove avverranno gli interrogatori? Chi garantirà che non ci saranno esecuzioni sommarie?

Anche sul nostro destino non raccolgo che voci.

«Il comando Onu non ha accettato le condizioni, non faranno muovere i civili.»

«Ti sbagli, il sergente mi ha assicurato che il comando ha accettato, a patto che due caschi blu siano piazzati in ogni mezzo in modo da assicurare il corretto svolgimento delle operazioni.»

Ogni minuto che passa diventa sempre più difficile distinguere le notizie autentiche da quelle frutto della disperazione.

La sera ci coglie ancora incerti, gli autobus parcheggiati a poche decine di metri da noi. Il campo vive in attesa, gli autobus come monito di un futuro dai contorni incerti.

Il sole ha cominciato a abbassarsi sull'orizzonte quando riceviamo finalmente un ordine: ci dobbiamo sistemare intorno al piazzale perché la città è senza luce e non possiamo assicurare l'incolumità dei profughi rimasti fuori dalla rete.

Vengo assegnato all'estremità nord. Mi faccio strada tra donne e bambini seduti a terra, trovo un posto accanto alla recinzione e mi siedo. Non mi prendo neanche la briga di rimanere in piedi di guardia: ora che siamo tutti rientrati alla base siamo più che sufficienti per la poca superficie del piazzale. Il cortile è stracolmo ma gli sfollati trovano il modo di aprirsi per farmi posto, convinti ancora che la mia presenza valga da assicurazione per la loro incolumità.

Le truppe serbe mi osservano al di là della rete, sento il loro sguardo a pochi metri di distanza. Preferisco ignorarlo nell'attesa che cali il buio, piuttosto che impegnarmi in un duello dal quale so che uscirei sconfitto.

Non faccio in tempo a appoggiare la schiena sulla recinzione che una donna si fa avanti e mi butta un bambino in braccio. Urla, grida, piange, provocando gli strepiti del piccolo che allunga le braccia verso di lei. Mi sforzo di rimanere calmo e ripeto: «Non capisco, non capisco la sua lingua. Rimarrò qui tutta la notte, non c'è niente da temere». Scandisco ogni parola, come se facesse una qualche differenza, faccio ampi gesti per indicarle di sedersi mentre il bambino continua a strillarmi in braccio.

La scena è fortunatamente interrotta da un vecchio seduto poco dietro, che la strattona e le urla qualcosa che sortisce l'effetto sperato. Le porgo il bambino, la donna si risiede e ricomincia a cullarlo in silenzio, cercando di trattenere i singhiozzi.

Il tanfo tutto intorno è insopportabile, un misto di sudore, urina e feci.

Mi sforzo di ostentare una calma che non provo. Quanto vorrei essere un fumatore in questi momenti. Quanto vorrei avere un vizio, persino un tic, una qualsiasi cosa che mi tenga occupate le mani, che richieda un minimo di attenzione, un minimo di concentrazione da dirottare altrove.

Mentre il sole scompare dietro le montagne chiudo gli occhi, non voglio vedere nessuno, né i soldati né questi straccioni. È stata una lunga giornata, ne sento tutta la tensione sulla schiena e l'odore sulla pelle, troverei di sicuro giovamento in una doccia e in qualche ora di sonno.

È un sussurro a risvegliarmi.

«Dirk...»

Vedo la mano di Florijan che mi scuote piano la spalla.

«Dirk, li senti?»

Il campo è immerso nel buio pesto di una notte senza luna. Non saprei dire quanto abbia dormito.

«Ma che ore sono?» dico sforzandomi di tenere gli occhi aperti. «Sst,» mi interrompe, «ascolta.» La notte è calda, umida, appiccicosa. Il silenzio è vivo, attraversato da pianti sommessi e madri sveglie per tenere gli incubi lontani. Poco più in là, oltre la rete, la notte è voci, risate di festa.

Mi sforzo di ascoltare. Dietro alle case, a un isolato da noi, urla sommesse sono sormontate da risate fragorose. Non ho bisogno di chiedere cosa stia succedendo.

«Le senti?» mi scuote Florijan.

Questo è il mio battesimo di guerra. In questi anni la guerra l'ho studiata, immaginata e simulata in ore e ore di addestramento, ma non l'ho mai vissuta in prima persona. I mesi passati qua non sono stati che un'attesa infinita di un momento che eravamo tutti sicuri non sarebbe mai arrivato. Adesso che vediamo le divise dell'esercito serbo, adesso che sentiamo le urla delle donne stuprate e gli spari nella notte, adesso tutto pare perfino troppo reale.

«Dovete fare qualcosa,» mi scuote Florijan «non potete permettere questo! Altrimenti che cosa ci siete a fare?»

Che cosa ci siamo a fare?

Il mio cervello allontana le parole di Florijan che ben presto diventano sottofondo mentre i rumori della notte assumono un significato. Distinguo le risate nello stradone principale, sento le grida, sento anche le pallottole.

Scuoto la testa. Mi sto immaginando tutto, Florijan mi ha svegliato all'improvviso e mi sono lasciato suggestionare dalle sue parole.

«Non possiamo certo proteggervi tutti» gli faccio segno di tacere prima che possa controbattere. «Ci saranno forse degli episodi isolati poco piacevoli, ma non devi lasciarti trasportare dalla fantasia. Hai visto i pullman? Domani mattina saremo tutti al sicuro, vogliono solo occupare la città.»

Rimane in silenzio qualche secondo davanti a me, la rabbia trattenuta a stento. «Spero vi vergogniate» ha il tempo di aggiungere prima di voltarsi e scomparire nella notte.

Episodi isolati poco piacevoli, ma come cazzo mi è venuta un'espressione del genere? Non ero preparato a questo, non ci avevano mandato qua per questo. Più cerco di allontanare i pensieri e più mi sembra di sentire altre urla, altri spari provenienti da una direzione diversa. Mi rendo presto conto che tutti intorno a me sono in ascolto, in silenzio, nella speranza di non essere i prossimi a attirare l'attenzione dei soldati intorno.

Devo razionalizzare, mi sto facendo travolgere dall'emotività.

Quelli che sento non sono spari e, anche se lo fossero,

non è detto che stiano uccidendo qualcuno. Stiamo facendo il loro gioco, vogliono solo spaventarci, sparano in aria per impaurirci e noi ci stiamo cascando. È un gioco, un gioco sadico ma pur sempre un gioco. Che interesse avranno mai a fare esecuzioni sommarie, con noi a pochi metri, soprattutto adesso che la città è nelle loro mani?

Vegliamo tutti insieme in questa notte che pare infinita cercando di non interpretare i rumori provenienti dal buio. Mi chiedo dove sia andato Florijan e mi auguro che non stia facendo qualche cazzata.

Non chiudo più occhio. L'alba mi trova stanco, sporco, a ogni movimento le ossa mi ricordano le ore passate sulla terra battuta.

È giorno da qualche ora quando siamo chiamati a raccolta.

Nel vedere la faccia del comandante, vivo il primo momento di vera paura: non è solo stanco, sfinito, ma è pallido, evita i nostri occhi, guarda fisso davanti a sé.

Per la prima volta percepisco il terrore: un peso al cuore che mi toglie il respiro.

La catena di comando è saltata, ci disponiamo intorno alla rinfusa, gli ordini girano con il passaparola. Non riesco a afferrarne il significato fino in fondo. Fissando il suo volto capisco l'origine di quel senso di oppressione: non è quello che dice a spaventarmi, ma quello che non dice.

Gli alti comandi hanno trattato tutta la notte e sono giunti a un compromesso: l'evacuazione dei civili comincerà oggi stesso. Gli uomini saranno divisi dalle donne e i bambini, in modo che possano essere cercati i criminali di guerra. Due di noi saranno posizionati in ogni pullman in modo da assicurare il corretto svolgimento delle operazioni.

Comincia un'assegnazione veloce e confusa ai convogli. Inizialmente tutti esitano, ma dopo che i primi si sono fatti avanti, molti altri seguono nella speranza di andarsene il più presto possibile.

Non spingo per partire subito, non ho fretta perché i contorni di questa vicenda non mi sono ancora chiari. Cosa succederà ai nostri che saliranno negli autobus con gli uomini? Verrà permesso loro di assistere agli interrogatori? Basteranno due di noi per tale compito? Ancora una volta tutto ciò che ci è taciuto appare più rilevante di ciò che ci è mostrato.

La piccola riunione è interrotta dai megafoni serbi. Hanno già cominciato a dividere le famiglie, non sembrano molto interessati alla nostra collaborazione, né tantomeno alla nostra approvazione. La folla sussulta, corre in direzioni opposte, nel momento decisivo ognuno ha un'idea ben precisa di quello che vuole dal proprio destino. Urlano le mamme alle quali sono strappati i figli adolescenti, li strattonano nel vano tentativo di mantenerli nella loro fila. Gli altri corrono verso i pullman in massa, a fatica i serbi sono in grado di rimettere ordine e di dividere gli uomini dalle donne.

«Tu, fai una lista!» Un ufficiale mi sbatte in faccia una cartellina. «Dobbiamo fornire una lista di tutto il personale Onu che riparte con noi.» La prendo in mano e la fisso senza dire una parola. «Mi raccomando,» aggiunge «cerca di limitarti a coloro che sono stati ingaggiati direttamente da noi, non quelli che sono stati assunti dalla municipalità per lavorare alla base. Trovi qui tutta la documentazione allegata, hai capito?» Prima di allontanarsi si volta per aggiungere: «Niente favoritismi e niente familiari, sono stato abbastanza chiaro? Non mi sembra il momento di innervosire i serbi».

Guardo gli autobus parcheggiati all'entrata del campo e tiro un sospiro di sollievo.

I primi sono già partiti in maniera disordinata, gente in piedi, i nostri che, non riuscendo a trovare posto all'interno, hanno finito per accodarsi con le jeep a poca distanza. Ma i serbi hanno imparato in fretta la lezione e sono adesso impegnati a fare rispettare le file, a dividere famiglie, a assicurarsi che chiunque possa anche lontanamente assomigliare a un uomo non finisca negli autobus con le donne. Prendono vecchi, ragazzi poco più che bambini, e li mettono in una fila ordinata, la disperazione tenuta a bada con le maniere forti. E così le madri si trovano accanto ai figli, le mogli accanto ai mariti, senza potersi toccare, a un metro, forse meno.

Solo adesso, vedendo quelle file, comprendo per la prima volta le radici del loro terrore.

Scuoto la testa.

No, non faranno pulizia etnica.

Non possono, non con noi qui.

Non davanti ai nostri occhi.

Osservo gli uomini in fila, in silenzio, lo sguardo basso. Vorrei poterli rassicurare, dire loro che non c'è niente di cui preoccuparsi. Vecchi e bambini, qualche artigiano, non li faranno sparire proprio davanti a noi.

Anche se parlassi la loro lingua non servirebbe comunque a tranquillizzarli. Sono solo dei poveri contadini, vis-

suti per anni in un castello assediato da storie atroci rac-
contate dagli sfollati. Storie mai vissute in prima persona
e ingigantite con lo scopo di rendere il nemico il più spa-
ventoso possibile. In questa valle che abbiamo presidiato
per anni sono finite per confluire tutte le paure scese dai
monti: stupri, massacri, mezze verità che insinuano nella
loro testa il dubbio che quella fila sarà l'ultimo posto dove
vedranno i loro uomini.

Mi giro e entro nel quartier generale, deciso a portare a
termine il mio compito. Devo smettere di fissarli, restare
freddo, non farmi sopraffare dall'emotività. Non lo faranno. Non adesso. Non con noi qui accanto.

Una vecchia fabbrica di pile, il luogo che è stato la mia
casa negli ultimi anni. La guardo adesso con la consapevolezza che presto me ne andrò, che il posto che ho considerato casa in questa terra dimenticata da Dio presto vivrà
solo nei miei ricordi.

Mi fermo a fissarla un momento.

Chissà quando tornerò. Come potrò raccontare tutto
questo a Christine? Cosa potrò mai condividere di questa
storia con chi è rimasto a casa?

Con il passare dei minuti, tutto avviene in maniera sempre più frenetica.

Le truppe serbe, dopo un iniziale disorientamento, sembrano adesso in grado di gestire le file in modo ordinato.
Scrutano severe gli intrusi, strappano i figli alle madri.
Bambini di dieci anni, forse meno. Quali pericolosi criminali di guerra possono nascondersi fra loro? Noi rimaniamo ai margini: vedo soldati cercare di salire sui pullman
strapieni, altri negoziare a gesti con gli autisti per essere
ammessi a bordo. Il piazzale è ormai diventato un'enor-

me stazione degli autobus: i serbi cercano di fare in modo che tutto proceda secondo i piani, mentre noi siamo solo il pubblico di un film del quale non riusciamo ancora a intuire il finale.

Giro le spalle e rientro nel quartier generale. Passo in infermeria e controllo che la lista che mi hanno fornito sia accurata. Gli impiegati si fanno tutti intorno, seguiti da infermieri, medici, addetti alle cucine e idraulici. Tutti mi vedono come l'unico lasciapassare per la salvezza.

Quello che per me è poco più di un elenco da compilare attenendomi agli ordini, per loro è l'ultimo traghetto verso mari più calmi. Cerco di sfogliare veloce il regolamento di evacuazione, di fissarmi in testa le linee guida, mentre tutti diventano ogni secondo più pressanti.

«Ci sono anche io?»

«Può controllare se sono in lista?»

«Posso portare mia moglie? È incinta di cinque mesi!»

Regolamento, devo aggrapparmi alle regole, devo solo eseguire quanto mi è stato ordinato.

Mi libero dalla morsa del capannello che mi assedia e comincio a stilare la lista. Chiamo a uno a uno i nomi elencati, aggiungo quelli dimenticati, controllo le rimostranze.

«No, gli addetti alla lavanderia non possono partire con noi, prenderanno pullman serbi poiché il loro contratto di servizio è stato stipulato attraverso un subappalto della municipalità.»

Trovo conforto nella ripetitività di questo compito, mentre mi si ammassano intorno disperati, implorandomi di prenderli con loro o di aggiungere il figlio alla lista. Continuo a ripetermi che sono solo un burocrate, un esecutore di scelte prese altrove. La mole di documenti allegati, contratti, forniture, mi tiene impegnato mentre mi muovo da un lato all'altro del campo, parlo con gli inservienti, controllo chi è il loro datore di lavoro. Mi è stato fornito abbastanza materiale per proseguire in modo accurato, senza errori. C'è una procedura di evacuazione e io la sto solo mettendo in atto. I pianti, le suppliche, sono tutte cose che non mi competono, non sono stato io a scrivere le regole.

Intorno la situazione peggiora con il passare delle ore.

Al primo posto di blocco serbo le nostre jeep sono state fermate e non è stato permesso loro di seguire i pullman con gli uomini né tantomeno di assistere agli interrogatori. I serbi appaiono ogni momento più sicuri. Afferrano donne a loro piacimento dalle file e le violentano a pochi metri dai mariti, davanti ai loro figli.

Dirigendomi verso l'infermeria sento un urlo a poca distanza. Sono due soldati che si rivolgono a una donna, una mamma. Vogliono che il bambino che ha in braccio smetta di piangere. Lei lo copre, il tono della voce rassicurante mentre i suoi movimenti, nervosi scatti con i quali cerca di cullare il piccolo, tradiscono il suo stato d'animo. A poca distanza un altro casco blu, in apparenza disinteressato, segue la scena con la coda dell'occhio, le cuffie del walkman nelle orecchie. Il piccolo continua a piangere sempre più forte, spaventato dalle grida che i soldati rovesciano sulla madre. Un niente può far degenerare la situazione.

Uno dei due soldati la schiaffeggia, con forza, con rabbia, come se quel pianto fosse un grave affronto. Mentre la donna rimane disorientata, l'altro le toglie il figlio di mano, glielo strappa afferrandolo per le braccia. Il piccolo strepita, la faccia rossa, le guance attraversate dalle lacrime. Incrocio lo sguardo del mio collega, distante poche decine di metri. Ci fissiamo per un secondo prima che il peso della situazione ci porti a guardare altrove, imbarazzati per quell'istante di colpevole complicità. Tutto intorno altri profughi osservano in silenzio la madre gettarsi al collo del soldato cercando di afferrare il bambino, la vedono buttata per terra, mentre l'uomo sfila un coltello dalla cintola e ne passa il dorso sulla gola del bambino.

Lei grida e il serbo ride, poi alza la lama e lei fa appena in tempo a coprirsi il volto.

È un taglio veloce, netto, il bambino manda un urlo acuto, breve, e poi piega la testa sulla sua sinistra, gli occhi aperti che fissano il vuoto.

Corro dentro senza fiatare.

È successo davvero? Sta succedendo davvero?

La situazione ci è del tutto sfuggita di mano: i serbi sono padroni del campo, non si nascondono più, pare anzi che la nostra presenza, la nostra palese impotenza li ecciti. Mi tengo lontano il più possibile, per paura che vedermi riaccenda in loro un qualche sadico esibizionismo.

I soldati destinati a scortare i pullman ritornano al quartier generale. Vengono accolti come fantasmi, poche domande.

Ripetono tutti la stessa storia. Fermati a un posto di blocco poco lontano, forzati a consegnare le armi e la divisa delle Nazioni Unite e rimandati indietro a piedi.

Nessuno chiede altro, nessuno ha bisogno di sapere altro: vediamo tutti quello che sta accadendo e non abbiamo bisogno di altri dettagli.

La nostra percezione dei pullman cambia repentina, nel nostro immaginario non sono più un'opportunità ma una minaccia: qui siamo quasi al sicuro, ma fuori siamo alla mercé dei nostri aguzzini. Ormai allo sbando, siamo stanchi, sporchi, impotenti e privi di ordini. Vaghiamo senza meta alla ricerca di un senso che non c'è. Io continuo a compilare la lista, prendo appunti, cancello, aggiungo note, cercando di apparire il più indaffarato possibile. Le cuoche in lacrime, gli idraulici che mi supplicano di inserire i figli: tutto diventa lontano, meno importante, di sicuro meno toccante rispetto al dramma che si sta svolgendo davanti ai nostri occhi.

Intorno, nel piazzale, solo le donne combattono ancora, urlano, protestano. Gli uomini rimasti sono in fila, rassegnati, le teste basse. Li guardo e mi sforzo di non pensarci, li guardo e mi sforzo di dirmi che non stanno andando al patibolo, io sono la prova vivente che non stanno per essere uccisi. I serbi non ci toccheranno, sanno che racconteremo ciò che abbiamo visto una volta tornati a casa. Chiudo gli occhi e respiro profondamente sforzandomi di non piangere.

È così, deve essere così, non può essere altrimenti.

Controllo la lista. Devo trovare Florijan.

Affretto il passo tra file di sfollati e cataste di oggetti che si sono lasciati dietro, museo di vite passate, ricordi che si mischiano fra loro.

Avrei preferito la guerra, quella vera, sentire le pallottole sibilarmi accanto, piuttosto che questa follia.

L'unica cosa certa rimasta sono i pullman. Continuano a partire a ritmi regolari, come se fornissero un servizio come tanti, una linea pubblica verso una città vicina.

Guardo gli uomini che salgono, li fisso. Se riuscissi a non dimenticare, anche solo dieci delle loro facce, potrei sperare di non perderli. Potrei ricercare i loro visi una volta arrivati al campo e essere sicuro che ci siano ancora, che non siano stati ingoiati dal buio di questa guerra. Ma perché solo dieci? Devo cercare di ricordarli tutti.

Più passa il tempo e più la disperazione assale anche noi. Chi partecipa alle scorte dei pullman assiste a scene inumane senza intervenire, alcuni vengono rimandati indietro disarmati, altri vengono fatti prigionieri. Mentre noi affoghiamo nell'incertezza, gli autobus continuano a sfilare, senza darci modo di riorganizzarci, di decidere cosa fare.

Il tempo smette di scorrere, se non fosse per l'alternarsi del giorno e della notte tutto questo sembrerebbe un istante infinito, un istante sempre uguale a se stesso.

La maggior parte di noi si isola per reazione. Cerca di rimanere ai margini, aspettando che tutti siano partiti per andarsene con il convoglio Onu, l'unico che sicuramente arriverà intatto a destinazione. Una minoranza cerca ancora di aiutare, come può, spesso disperdendo energie in azioni inutili, spinta dalla disperazione dell'impotenza.

Quanto tempo è passato? Quanti pullman partiranno ancora?

Entro in infermeria e comincio a raccogliere i nomi di tutti i pazienti, età, numero di documento.

Sento il dovere di fare qualcosa, qualsiasi cosa che possa distinguermi dal massacro che si sta consumando.

Ormai non ci sono dubbi, possiamo cercare di raccontarci tutto quello che vogliamo, ma i serbi stanno ripulendo la città: non stanno cercando criminali di guerra, stanno uccidendo ogni abitante di sesso maschile, uomini, vecchi, bambini. Stanno cancellando quella che è stata la Jugoslavia: da ora in poi questo sarà territorio serbo e solo serbo, non un vagito di un bambino musulmano sarà udito tra queste montagne.

I civili sono allo sbando, incerti su cosa credere, impauriti da chiunque si avvicini loro. Sono riluttanti, non vogliono fornirmi i loro dati perché sono sicuri che stiamo collaborando con i serbi, che io stia compilando una lista per venderli.

Non hanno più nessuna fiducia in noi.

Corro fuori, corro tra le file, tra le urla.

Devo trovare Florijan.

Lo vedo impegnato a tranquillizzare una delle tante mamme sopraffatte dalla disperazione. Gli basta poco per capire. Ho bisogno di un traduttore per convincere il maggior numero di persone a farsi aggiungere alla lista senza spiegare loro che sono in pericolo, che se salgono sui pullman non possiamo assicurare la loro incolumità.

«Ma non puoi portarci tutti via con il contingente Onu?» mi chiede sfinito, cosciente della risposta.

Non ha altre domande, ci mettiamo al lavoro, tentiamo di raccogliere sempre più dati per compilare un'altra lista da confrontare con i nomi degli evacuati una volta giunti a destinazione.

Mentre Florijan continua a raccogliere informazioni, cerco un ufficiale che sostenga la mia iniziativa, che mi aiuti a schedare più persone possibili.

I serbi devono saperlo, la lista è l'unico deterrente che ci è rimasto.

Trovo il comandante seduto all'interno del quartier generale. Gli consegno prima la lista degli impiegati Onu e mi affretto a spiegare la logica di questo censimento improvvisato e del mio piano. Mi ascolta come imbambolato, fa qualche breve cenno con la testa.

«Puoi prendere tutti gli uomini che ti servono, coinvolgi anzi tutti quelli che trovi ma non ti illudere,» aggiunge senza smettere un momento di fissare il vuoto «ci prenderemo comunque la colpa, i più magnanimi diranno che non abbiamo fatto abbastanza, mentre ci sarà chi insinuerà che abbiamo addirittura collaborato.»

Faccio per uscire e mi ferma afferrandomi il braccio.

«Ci sono soldati che tornano raccontando di donne stuprate, anche tra il personale sanitario della Croce Rossa che abbiamo mandato a soccorrere i feriti. Altri parlano di neonati ai quali hanno sparato in testa. Abbiamo almeno quattro soldati in mano serba, detenuti chissà dove e dei quali non riusciamo a avere notizie da ore. Fa' pure la tua lista, fa' tutte le liste che vuoi, ma non servirà a niente, quello che stai stilando è un elenco di morti.»

«Non dimenticate di comunicare ai serbi che stiamo compilando questa lista, abbiamo nomi e cognomi, non potranno torcergli un capello» è l'ultima cosa che aggiungo prima di uscire.

Passo le ultime ore in maniera febbrile, scrivendo, agitandomi senza ragione, solo per muovermi, per sentirmi meno inutile. Sono sudato, puzzo. Dall'arrivo dei serbi non mi sono più cambiato, sono giorni che indosso la stessa maglietta, lo stesso giubbotto antiproiettile e lo stesso elmetto.

Ogni tanto vedo Florijan chinarsi su un vecchio in

lacrime per raccogliere dati e spiegargli l'importanza di quell'azione.

Ci sono voluti giorni, ma adesso il piazzale è quasi deserto: è questione di poche ore e Srebrenica sarà svuotata.

Mi fermo a guardarlo.

Ne sono sicuro: tra poco sarò lontano da qui. È arrivato il momento che attendevo da mesi, il momento che tanto avevo immaginato. Solo che non me lo aspettavo così, non potevo immaginarmelo così. Non volevo fosse così.

Florijan mi distoglie dai miei pensieri.

«La lista, la lista degli impiegati Onu. Ci sono dentro anche io?» L'avevo del tutto dimenticata, la lista. Faccio cenno di sì con la testa, contento di essere per la prima volta in grado di dargli una buona notizia. «Hai aggiunto anche mio fratello Hasan e mio padre Ibro vero? Non me la sento di partire senza di loro!»

La lista.

Balbetto un «Ci penso io» e corro di nuovo verso il comando.

Ormai anche il quartier generale sta smobilitando: ognuno raccoglie le sue cose, presto ammaineremo anche la bandiera.

Ognuno segue una direzione sua, nessuno sa niente o è interessato a aiutarmi. Cerco il comandante ovunque, ma senza successo.

Uno dei soldati ha già in mano la lista e sta coordinando gli impiegati dando ordini per l'evacuazione.

Mi avvicino: «Ho bisogno di aggiungere due nomi alla lista».

«Non posso,» risponde subito, «non posso proprio, a

meno che non mi dimostri che sono due impiegati del contingente.»

«No, no, sono due familiari di un impiegato.» Mi interrompe: «Guarda, non se ne parla, ho già una marea di problemi con tutti questi rompicoglioni, non posso aggiungere nessuno, se facessi un'eccezione sarei finito».

«Ma l'ho fatta io questa lista!» gli urlo cercando di strapparglila di mano.

«E l'hai fatta bene,» mi risponde ritirando la cartellina, «perché rispetta gli ordini. Ora levati di qua che ho già abbastanza casini.»

Che stupido che sono stato, che coglione! Ho eseguito gli ordini come un automa, senza comprendere che quella lista era l'unica opportunità per portare al sicuro più persone possibili. Sono stato così demente che ho fatto anche un censimento degli uomini non ancora partiti, pensando di poterli così mettere al sicuro, e non ho pensato di avere in mano l'unico strumento che avrebbe permesso di portare al sicuro anche solo una persona in più. Vorrei ora strapparglila di mano, quella lista, ma rimango paralizzato, paralizzato da quello che ho fatto.

Vedo Florijan andare dall'incaricato, li vedo parlare animatamente, controllare i nomi, convincere il soldato a rileggere il regolamento finché non viene allontanato con fastidio, come si fa con un mendicante che ti avvicina per strada. In fondo Florijan è per lui solo uno dei tanti rompicoglioni che cercano di creargli problemi forzando le regole.

Florijan mi vede, viene nella mia direzione.

«Ci sono solo io!»

«Ci ho provato... ti giuro, ci ho provato, non ha voluto sentire ragioni.» Mi viene da piangere.

Lascio Srebrenica in una calda serata di luglio.
I pullman per la nostra evacuazione sono mezzi vuoti. Nessuno dei serbi ha controllato le liste di chi parte, sono stati molto meno fiscali di noi, avremmo potuto salvare molte altre persone.

Il saluto con Florijan è stato estremamente formale, non ha voluto vedere partire il fratello e il padre senza di lui, cosciente di quello a cui potevano andare incontro.

«Vedrai che ci rivedremo presto,» ho avuto il coraggio di dire «c'è la lista, ci sono i vostri nomi sopra. Abbiamo notificato al comando serbo che abbiamo censito tutti gli uomini partiti con gli ultimi dieci pullman, non possono farvi niente.»

Tratteniamo entrambi a stento le lacrime.

«Non ti preoccupare, vedrai che tra qualche mese troveremo insieme casa nei Paesi Bassi» aggiungo cercando di strappargli un sorriso.

Ora non piange, non trema, pare non provare niente.

Mi bacia su entrambe le guance, lentamente, in modo da mostrare ai serbi i suoi ottimi rapporti con gli olandesi, aggrappandosi all'ultimo appiglio prima dell'ignoto.

Sale sul pullman senza girarsi.

È l'ultima volta che vedo Florijan.

Romeo

L'Aia, 29 novembre 1996

Cari Colleghi,
  prego perdonerete il tono di questa lettera.
  Se risulterò troppo informale non sarà, vi assicuro, per mancanza di rispetto verso voi o verso l'istituzione della quale facciamo parte. Non voglio fare prediche né tantomeno insegnare niente a nessuno, voglio solo giustificarmi, spiegare il perché di quello che è successo e sta per succedere, o almeno il *mio* perché.
  Questa sarà l'ultima lettera che scriverò in qualità di *giudice*. Dopo che il giudice Lee avrà letto la sentenza, ne invierò una copia a ognuno di voi, ripiegherò con cura la toga, raccoglierò ciò che rimane di mio in questo ufficio e concluderò così trent'anni di carriera. Non manderò una copia alla stampa, se questo è quello che temete, non cerco clamore né attenzione sulla mia persona, vi invito anzi a interpretarla come una corrispondenza strettamente privata.
  Mi accorgo che, con il passare del tempo, questa vicenda ha assunto per me un carattere molto personale la cui portata mi appare chiara solo adesso, poche ore prima della lettura della sentenza. Avevo bisogno di tro-

varmi davanti all'inevitabilità dell'evento per ricomporre le ultime tessere del puzzle e capire qual è il mio posto all'interno del quadro. Voglio spiegare perché credo che questa sentenza sia ingiusta nonostante io stesso vi abbia contribuito.

È questo un modo per scaricarmi la coscienza? Sono sicuro che molti di voi giudicheranno ipocrita la lettera: un giudice ormai prossimo alla pensione che chiude la carriera con un colpo di teatro per riportare l'attenzione su se stesso. Ho comunque ritenuto più coerente scrivere questa lettera che coltivare un silenzio che avrebbe avuto il valore di un tacito assenso.

Converrete con me che qualsiasi lavoro scade nell'abitudine dopo trent'anni, non importa a quale livello lo si svolga. Non ne risente certo la nostra professionalità o la cura del nostro operato, ma riconoscerete che perfino trovandoci a giudicare fatti eccezionali ci scopriamo a affrontarli come un ennesimo caso giudiziario: qualcosa che sentiamo dentro di noi di poter dominare, come uno spettacolo di cui conosciamo la trama.

Fin dalle battute iniziali avevo, come immagino molti di voi, accettato questo incarico nella certezza di confrontarmi con capi di stato, di avere la possibilità di giudicare la Storia, lavoro che ritenevo perfetto per coronare la mia carriera.

Non avevo quindi posto troppa attenzione a questo primo processo. Un caso minore, di transizione, in attesa di ricevere incarichi più importanti. Avevo letto le carte nella convinzione che, come sempre, durante il dibattimento la sentenza si sarebbe chiarita ai miei occhi grazie a quei codici che ci guidano. Durante le nostre discussioni, se qualche dubbio ha fatto talvolta capolino tra i miei pensieri, sono stato sempre e comunque in grado di rispedirlo al mittente senza mettere in forse le decisioni che avrei dovuto prendere.

Vi chiederete allora il perché di questa lettera. Cosa mi porta adesso a decidere di tornare a essere Romeo González, senza quell'appellativo di *giudice* che mi ha dato un ruolo all'interno della società. So che una parte di voi interpreterà queste parole come mal ponderate e affrettate, figlie di uno stato emotivo particolare. Mi rivolgo invece alla parte di voi che prova disagio, che percepisce la sentenza che abbiamo appena redatto come incapace di descrivere tutte le sfumature presenti in questa vicenda.

Nessuno arriva all'ultima camera di giudizio senza avere già preso una decisione, neanche un giudice di pace, figuriamoci esperti internazionali del nostro calibro. Abbiamo a disposizione decine di udienze per farci un'idea: sfilate di testimoni, le infinite declinazioni della realtà offerte dai pubblici ministeri, le serate passate con le carte processuali e il confronto con i colleghi. Nessuno arriva in camera di giudizio senza sapere quello che gli altri giudici voteranno. Credo, per esempio, che nessuno avesse dubbi sul fatto che i giudici Lee e Douglas avrebbero votato per condannare l'imputato per crimini contro l'umanità. Una posizione chiara, semplice e senza distinguo. Devo riconoscere che schierarmi fin da subito apertamente con loro sarebbe stata a livello strettamente *politico* una scelta pragmatica da parte mia. Sappiamo tutti che è ormai troppo tempo che questo tribunale è aperto e non è un mistero che l'istituzione abbia bisogno di portare risultati. Non fraintendetemi, quando parlo di risultati non prendo soltanto in considerazione coloro che hanno finanziato questa struttura, ma soprattutto le vittime, chi è rimasto, chi crede che l'istituzione che noi rappresentiamo sia il punto di partenza per redigere almeno una memoria condivisa su una storia troppo crudele per poter ottenere vera giustizia. Avremmo potuto trovare un imputato migliore di un soldato semplice croato, combattente in Bosnia per le armate serbe? Tutti si auguravano questo epilogo, perfino il governo serbo: a Milošević è stato offerto il perfetto paravento, l'occasione per mostrarsi collaborativo senza dovere consegnare i veri responsabili. Per paradosso la prima e unica testimonianza diretta di quanto è veramente accaduto a Srebrenica è stata per il governo serbo anche l'opportunità di mostrare al mondo di non volere nascondere scheletri nell'armadio, anzi di collaborare per la condanna dell'azione di *pochi esaltati*.

In pubblico Milošević si scaglia contro quello che definisce un castello di carta, un edificio di menzogne costruito dalle forze internazionali per smembrare il territorio jugoslavo. Dietro le quinte è invece ben contento di liberarsi di quello che considera poco più di un pazzo. Un esaltato che non ha retto allo stress per una guerra troppo lunga e che ha finito per immaginarsi cose che non sono mai avvenute.

La sua condanna è quindi un evento che avrebbe accontentato tutti. Per questo capisco lo stupore di Douglas e Lee davanti a tanti distinguo quando l'imputato stesso si è dichiarato colpevole!

Più di settanta uccisioni: un'intera giornata passata a uccidere uomini, vecchi e bambini disarmati, nella piena consapevolezza di quello che stava facendo. Colpevole due volte: colpevole per avere partecipato al peggiore delitto avvenuto in Europa dalla fine dei campi di sterminio nazisti, ma soprattutto colpevole di non essere andato avanti come se questo non fosse mai avvenuto.

Quanto sarebbe stato tutto più facile se ci fosse stato un terzo giudice d'accordo con questa impostazione. Mi sarebbe bastato dissentire formalmente, con un allegato alla sentenza, mostrando il mio rispetto per l'istituzione ma sottolineando la diversa interpretazione del caso.

Non ho avuto questa fortuna.

Fin da subito l'opinione del giudice Prunon è parsa in aperto dissenso con quella dei sopracitati giudici Douglas e Lee. Non credo in questo modo di alimentare polemiche né di evidenziare aspetti che non si siano già palesati a voi tutti durante i mesi di dibattimento. La posizione del giudice francese è stata chiara fin dalle prime battute e nessuno ha mai dubitato che non sarebbe cambiata alla sentenza. La sua strategia era mirata a convincere tutti noi della bontà del suo ragionamento.

A suo giudizio non solo l'imputato ha diritto alle attenuanti dovute a una situazione di eccezionale costrizione, nella quale si è trovato a dover scegliere tra uccidere o essere ucciso, ma il suo disobbedire non avrebbe diminuito in alcun modo l'orrore di Srebrenica, al contrario lo avrebbe nel complesso aumentato, aggiungendo la sua morte alle altre ormai decise. Tutta la retorica che il giudice Prunon ci ha magistralmente offerto in questi mesi ha sottolineato la tragicità della scelta in cui si è trovato l'imputato, e soprattutto l'eroismo di essersi opposto a quella situazione, unico soldato a mettere in discussione gli ordini. Agli occhi del giudice Prunon, se c'era stato un eroe a Srebrenica, se c'era stata traccia di umanità a Srebrenica, era stata senza dubbio in quel giovane soldato serbo-croato responsabile dell'assassinio di settanta civili.

Il giudice Mboko ha sempre cercato appoggio nella procedura, nella legislazione, in maniera rigorosa e puntuale, sicuro che questa potesse essere la sola chiave in grado di offrire tutte le risposte che stavamo cercando. Mi sono anch'io con naturalezza affiancato alla sua impostazione, trovandola deontologicamente corretta, non ideologica, e affine al mio metodo di lavoro. Ben presto è risultato chiaro, dalle sue osservazioni, che avrebbe votato per l'assoluzione.

Giungo quindi alla domanda principale: cosa penso di questo caso e cosa mi ha spinto a ritornare su un voto che ho espresso in piena libertà di coscienza?

Devo riconoscere di avere fin da subito trovato affinità con il pensiero di Prunon. Un'affinità a pelle, dovuta credo a una visione comune della giustizia e della nostra missione. Mi sono comunque sforzato di mantenere separati il mio giudizio sul caso e le eventuali simpatie personali verso i colleghi.

Ma non ci sono riuscito.

Dopo tanti anni di servizio ci sono cose che pensi non succederanno mai, errori da cui sei sicuro l'esperienza ti renda immune.

Quanti eventi storici sono in realtà decisi da piccole questioni individuali? Quanti eventi che hanno segnato la storia dell'umanità, eventi sui quali sono state scritte centinaia di pagine, sono in realtà il risultato di antipatie personali e non di decisioni ponderate? Avrebbero avuto luogo gli accordi di Oslo se Arafat e Peres si fossero odiati a prima vista? Possono fastidi personali, dettagli irrilevanti, determinare scelte che cambiano la vita di migliaia di persone? Una battuta mal tradotta? Il rumore di un pasto masticato a bocca aperta?

Possono piccole debolezze, piccole manie individuali essere il motore di decisioni epocali? Piccole vicende che non entreranno mai nei diari ufficiali, nei manuali di storia. Circostanze insignificanti che accendono qualcosa d'irrazionale nella testa di una persona, un ricordo spiacevole, una fobia, un senso di inadeguatezza, tanto da cambiare una decisione.

Stimatissimi Colleghi, alla luce delle prove, alla luce delle testimonianze ascoltate e in accordo con il diritto internazionale che funge da riferimento per questo tribunale, ritengo che l'imputato Dražen Erdemović fosse da assolvere e con formula piena. Non solo. L'imputato doveva essere assolto, ma la sentenza avrebbe dovuto porre l'accento anche su come un individuo maturi le sue scelte. Quella che noi siamo abituati a chiamare Storia non è altro che l'insieme delle azioni di grandi uomini, siano essi esempio di grandezza assoluta o sintesi di malvagità estrema. Ma il motore della Storia è un altro. Il motore della Storia sono i milioni di uomini che lottano con le loro inadeguatezze, con le loro paure e le loro ambiguità. Persone che non prendono decisioni nette, ma che fanno del loro meglio. Magari sbagliano, magari reagiscono troppo tardi, ma comunque cercano di resistere ai loro istinti e, anche se non sempre l'hanno vinta, scelgono di andare controcorrente per continuare a sentirsi umani.

Io no.

Io sapevo quale fosse la cosa giusta da fare, io sapevo quale decisione sarebbe stata in linea con il principio di giustizia a cui questa corte si ispira. Invece abbiamo condannato Dražen Erdemović con un compromesso odioso di cui io sono stato l'artefice decisivo, condannato perché non doveva trovarsi lì, perché dall'arruolamento avrebbe dovuto immaginare che sarebbe finito in una fattoria a giustiziare vecchi e bambini. Lo avrebbe dovuto intuire perché giravano molte voci a riguardo, lo avrebbe dovuto immaginare perché questo è quello che succede quando ci si arruola nell'esercito.

Ci troviamo davanti al più grande crimine compiuto in Europa dalla fine della Seconda guerra mondiale e noi pretendiamo che l'imputato avrebbe dovuto in qualche modo immaginarlo.

Non un fanatico, non un giovane che ha subito il lavaggio del cervello, ma uno degli ultimi a prendere parte al conflitto, quando tutte le altre alternative erano esaurite, per sfamare moglie e figlia.

Può esistere la giustizia degli uomini?

Possiamo davvero fare giustizia come essere umani? Esseri umani spesso guidati dal più alto desiderio di equità, ma pur sempre figli della loro storia e dei loro piccoli problemi quotidiani, di inezie che possono portare a cambiare l'ordine degli eventi.

L'ordine.

L'unica ambizione a cui una corte può aspirare è quella di riportare ordine, di far sì che la società sopravviva a se stessa e ai suoi impulsi autodistruttivi. Giustizia vuol dire equità, ma la vera equità è possibile solo ripristinando l'ordine iniziale, quello che il crimine ha modificato. Tutto il resto è nel migliore dei casi un tentativo di creare una lettura condivisa della Storia, mentre nel peggiore è vendetta.

Con la risoluzione 819 del 16 aprile 1993 dell'Onu la comunità internazionale che noi qui rappresentiamo decreta la fine dell'enclave di Srebrenica. La giustizia doveva essere fatta allora dalla comunità internazionale, quello che è arrivato dopo è un alibi, un tentativo di silenziare una pistola che aveva già sparato. Si arriverà forse un giorno a arrestare i veri carnefici, i pianificatori della strage e i loro zelanti esecutori. Dražen Erdemović non appartiene a nessuna di queste due categorie.

Allora perché ho deciso di condannarlo?

Il giorno della camera di consiglio mi sentivo sicuro di quale fosse l'interpretazione giusta, sicuro di quale fosse la sentenza giusta.

Ma ci sono cose che accadono, errori che si fanno, eventi che si compiono per una serie di circostanze irripetibili.

Avevo immaginato l'ultima riunione molto breve. Poche battute, la lettura dei capi di accusa da parte del giudice Lee, la richiesta di eventuali considerazioni conclusive prima di procedere con la votazione. Tutto pareva confermare le mie aspettative. Fu Douglas a attaccare con il suo classico discorso, con gli argomenti che, mi si perdoni, abbiamo ormai tutti ben chiari. Sorprendente fu per me invece l'atteggiamento del giudice Prunon.

È questo il motivo per il quale ho cambiato il mio voto.

Vedendolo silenzioso, il sorriso trionfante stampato in viso, mi è parso godere dello spettacolo come se lo considerasse non solo una vittoria acquisita ma, soprattutto, una vittoria personale. Guardandolo era chiaro che non si trattava di giustizia, bensì di orgoglio: orgoglio intellettuale, una strafottenza che stava debordando in spocchia. È per questo che sono intervenuto, è per questo che ho preso la parola.

All'inizio non avevo un argomento ben chiaro in mente, volevo solo dimostrare la mia indipendenza intellettuale, perché questo era il motivo per il quale ero stato scelto per sedere in questa corte. E mentre formulavo i miei pensieri, sembrerà incredibile, l'argomento per il quale mi sono trovato a parteggiare è stato quello che appariva sul momento minoritario, l'esatto contrario di quello che avevo maturato durante lo svolgimento del processo. L'esatto contrario del motivo per il quale il giudice Prunon sorrideva quella mattina. Più parlavo e più provavo piacere in quello che dicevo, più parlavo e più mi convincevo che quella fosse la posizione più corretta.

Mi rendo conto che ciò che ho appena scritto possa sembrare ai vostri occhi infantile e paradossale, ma credo che questa sentenza meriti una spiegazione, una spiegazione onesta visto che non può riceverne una giusta.

Non riporterò qui i dettagli della discussione poiché eravate tutti presenti. Il mio argomento costituiva un perfetto compromesso, poco importa se destinato a scontentare tutti: nessuno sarebbe stato costretto a prendere una posizione netta. Dichiarando che l'imputato era colpevole di essersi trovato volontariamente nel posto sbagliato al momento sbagliato, lo scagionavo, assegnandogli le attenuanti del caso, ma allo stesso tempo lo condannavo, riaffermando che un massacro è e *rimane* un crimine. In questo modo, la sentenza avrebbe riaffermato il primato della legge senza cadere in conclusioni ciecamente intransigenti o troppo comprensive.

Più la discussione divampava e più mi convincevo della bontà del mio repentino cambio di rotta. La reazione indignata e violenta del giudice Prunon mi aveva poi convinto che stessi cogliendo nel segno. Non era indignato a causa di una sentenza ingiusta: stava combattendo per la sua lesa maestà, perché di colpo il serpente aveva smesso di seguire le note del pifferaio. Continuava infatti a guardarmi negli occhi come si fa con un bambino che ha disobbedito durante la cena di Natale a casa dei nonni.

In quel momento, quando ho finalmente alzato la mano per votare, percepivo Erdemović, la guerra, il massacro di Srebrenica lontani e sfuocati. Tutto quello che esisteva era il presente, quella sala e quella mia improvvisata sfida personale contro il giudice francese. Sfida infantile, inutile e, in fin dei conti, nociva. Proprio perché me ne rendo conto devo rassegnare le dimissioni, proprio perché me ne rendo conto devo chiamarmi fuori, accettando che la mia carriera di giudice finisca qui.

Solo nelle ore successive alla decisione, quando si è spento il ghigno che mi era cresciuto dentro, la consapevolezza ha avuto la meglio e ho compreso appieno le conseguenze della mia decisione.

Ho e *abbiamo* condannato un uomo al carcere per una colpa non sua, per avere deciso di agire come avremmo agito anche noi se ci fossimo trovati al suo posto. Chi di noi avrebbe mai rischiato la vita per mettere in discussione gli ordini ricevuti dall'autorità, per quanto insensati potessero essere?

Non occuperà le prime pagine dei giornali, non attirerà l'attenzione della comunità internazionale, ma con questa sentenza abbiamo mandato un messaggio forte e inequivocabile a chiunque si trovasse lì quel giorno.

A Srebrenica l'unico modo per restare innocenti era morire.

Romeo González

Dražen

Il tenente Milorad ci chiama a raccolta, finalmente ci muoviamo.

Ricevo l'ordine con sollievo, felice di lasciare questa terra di nessuno. Via da questo paesino abbandonato, via dalla vista della stalla e dall'immagine di quella donna.

Salendo sul retro della camionetta Milorad pare nervoso, sarà il pensiero del viaggio, il ricordo di quello che è successo all'andata a tenerlo sulle spine. Mi avvicino e con uno slancio di cameratismo accenno un mezzo sorriso. «Sono sicuro che tra un paio d'ore saremo in caserma sani e salvi» gli dico appoggiandogli una mano sulla spalla. L'allontana senza neanche guardarmi in faccia e risponde a mezza voce: «Non stiamo andando in caserma».

Rimaniamo in silenzio per il resto del viaggio. È mattina da poche ore e davanti a noi si preannuncia un'altra calda giornata estiva. C'è un po' di tensione nell'aria, non è solo il ricordo dell'agguato scampato pochi giorni fa, quanto il fatto che siamo tutti consapevoli che le uniche armi presenti sulla camionetta sono le poche che portiamo addosso. Non carichiamo munizioni, non stiamo andando a rifornire un altro contingente, stavolta stiamo andando sul campo. Non è la prima volta che partecipiamo a piccole operazioni, ma fino a adesso si è trattato solo di azioni di disturbo, per lo più in zone lontane dal cuore del conflitto. L'assedio è finito? Stiamo andando a spostare i profughi fuori da Srebrenica? Milorad siede davanti, accanto a un autista fornitoci da un altro battaglione, non c'è modo di sapere dove siamo diretti, non ci resta che aspettare.

Dopo una quarantina di minuti arriviamo in mezzo all'aia di una fattoria abbandonata. Sono le nove di mattina e comincia a fare caldo. Scendendo Cedomil si avvicina a Milorad e gli chiede: «Adesso cosa facciamo?».

«Aspettiamo.» È l'unica risposta che riesce a ottenere.

Milorad fa un breve giro da solo, come in perlustrazione. Una vecchia costruzione in pietra, abbandonata da tempo. Nessun segno di presenza umana, nessun animale che gironzoli nel cortile, nient'altro che un piccolo complesso di edifici costruiti intorno a uno spiazzo sterrato: una grande casa in mattoni con davanti una stalla in legno e una porcilaia alla sua sinistra. Riappare Milorad dall'angolo dell'edificio principale e ci fa segno di seguirlo.

Dietro al casolare c'è un campo coperto di erbacce. Ci sistemiamo lì, seduti a terra sotto una quercia, ai margini del bosco, in attesa di indicazioni. La presenza del bosco alle nostre spalle mi rende nervoso, ma Milorad sembra sentirsi sicuro e evito quindi di fare obiezioni. Goran appare confuso, si avvicina a Milorad e con fare deciso gli chiede: «Possiamo finalmente sapere cosa siamo venuti a fare qua in culo al mondo?». Milorad finge di non sentirlo, fruga nella sacca e tira fuori due bottiglie di brandy. «Beviamo» è l'unico commento che ci concede.

Di tutto il mistero che avvolge la situazione è proprio il silenzio di Milorad la cosa che più mi inquieta. Non è da lui tenerci all'oscuro dei dettagli dell'operazione; non è uomo da enfatizzare la drammaticità del momento. Ma continua a tacere. Forse neanche lui è al corrente di quello che dobbiamo fare? Eppure finora è sembrato muoversi con disinvoltura, come a seguire un disegno ben pianificato. Lo osservo mentre fissa la campagna davanti a noi. Guarda in direzione della fattoria, come se stesse aspettando un evento risolutore. Non siamo di sicuro qui per difendere questa fattoria abbandonata e non dobbiamo compiere una missione pericolosa, altrimenti non si sarebbe portato una cassa di brandy. No, posso rilassarmi, qualsiasi cosa siamo venuti a fare non è importante, altrimenti non staremmo qui sdraiati a passarci una bottiglia. Eppure non riesco a smettere di chiedermi i motivi del suo silenzio.

Di colpo capisco che Milorad non sta prendendo tempo prima di dirci qualcosa, sta aspettando e basta. Rimane seduto sotto la quercia, non beve, fuma e scruta l'orizzonte. In compenso il brandy è riuscito a rallegrare lo spirito del resto del battaglione e a allontanarne i dubbi. Cedomil e Jasa se ne sono scolati già più di mezza bottiglia e sono impegnati a urlare storielle sconce che fanno ridere di gusto Goran. È la prima volta che bevo qualcosa di così forte la mattina presto ma non ho potuto tirarmi indietro, non voglio fare ancora la parte della signorina. Sono quasi le dieci, la mattinata comincia a farsi afosa e il brandy scende con sempre maggiore difficoltà, ma non mi lamento: è tutto meglio di quello che avevo immaginato appena un'ora fa.

Il caldo di luglio ha già seccato molta della vegetazione intorno, ma la campagna è comunque bella, ricca di vita. Potrebbe trattarsi di una delle tante estati della mia vita, un'estate uguale a molte altre, almeno la campagna pare non essersi accorta della guerra.

Un rumore improvviso in lontananza, come di un camion che si sta avvicinando: Milorad si alza e si dirige verso l'aia. «Aspettatemi qui» ci ordina.

Ci affacciamo per vedere cosa stia succedendo. Davanti alla fattoria è parcheggiato un pullman blu scuro, un normale pullman da viaggio, uno di quelli che portano i bambini in gita scolastica. Si apre lo sportello e scende un ufficiale giovane, molto giovane. Milorad lo saluta. Non distinguo le parole, parlano pochi secondi, finché Milorad si gira e ci indica. Interpretiamo quel gesto come un segnale e ci alziamo come per farci avanti, scrollandoci di dosso il torpore del brandy. Ma non è così, e Milorad si affretta a farci segno di restare dove siamo.

Il giovane ufficiale, quello appena sceso, sporge la testa all'interno del pullman e grida qualcosa per me incomprensibile. Un breve istante e poi lo vedo.

Scende un uomo bendato, le mani dietro la schiena. Veste abiti civili, una camicia a quadri rossa e un paio di jeans chiari. Milorad torna indietro nella nostra direzione, mentre ne vediamo scendere altri, anche loro bendati, le mani dietro la schiena: una lunga fila silenziosa intervallata da alcune divise dell'esercito serbo, soldati che prima erano nel pullman ora sono impegnati a controllare che tutto proceda in maniera ordinata.

Ma chi sono *quelli*?

Mentre i prigionieri gli sfilano davanti, l'ufficiale rimane sulla porta e grida. Adesso sento bene quello che dice. «Fuori tutti, veloci, siete arrivati, merde del cazzo. Comportatevi da uomini! Non c'è d'avere paura, non vi torceremo un capello!» continua a ripetere mentre altri uomini bendati scendono dal pullman. «È una normale procedura, sarete interrogati uno alla volta, soltanto i criminali di guerra saranno trattenuti.»

Saranno una trentina di persone, se non di più. Non capisco: pensano veramente che li interrogheremo qui, in cinque, in mezzo a un prato?

Che cazzo stai facendo Milorad?

«Mettetevi in riga» ordina il nuovo arrivato. Nel frattempo Milorad ci ha raggiunto, la faccia accaldata, ci parla a bassa voce, quasi un sussurro. «Sono miliziani sorpresi a minare un ponte, abbiamo ordine di giustiziarli sul posto.» Non è nervoso, sembra quasi che creda a quello che sta dicendo, o almeno così si sforza di apparire.

Ci prende forse per idioti?

Il gelo scende sul battaglione, nessuno si muove. Solo Jasa, dopo un'iniziale esitazione, urla: «Finalmente spariamo a questi cazzo di turchi». Sputa per terra e raccoglie il fucile barcollando, riesco a sentire il tanfo di alcol che emana il suo alito nonostante si trovi a alcuni metri di distanza.

Nessun altro si muove, perfino Cedomil pare perplesso.

L'urlo di Jasa scuote i prigionieri dal loro torpore. Parlano adesso fra loro, gridano nervosi.

«Dove siamo?»

«Cosa ci state facendo?»

«Non potete spararci così!»

Nel frattempo i soldati scesi dal pullman li hanno messi in fila davanti a noi, di spalle, le manette che luccicano nel sole di luglio. Sono più di quanto pensassi, una quarantina, forse cinquanta. Li guardo. Vestono abiti civili, tutti maschi. Ci sono vecchi, il viso coperto di rughe; uomini di mezza età, la barba canuta e la pancia pronunciata; e ci sono adolescenti, poco più che bambini, ancora imberbi. Anche con uno sforzo d'immaginazione solo i due terzi, o forse meno, possono essere considerati, per l'età, una qualche possibile minaccia.

Ci affiancano altri cinque soldati tra quelli scesi dal pullman insieme ai prigionieri, fucili in pugno, pronti a eseguire gli ordini. Li guardo, sembrano bambini. «Ci aiuteranno a compiere il lavoro in maniera veloce e efficiente.» Mi pare di avvertire una sfumatura di nervosismo nelle parole di Milorad, o forse è solo la mia immaginazione che vorrebbe trovarcela.

Non sento niente, sono stordito... ma cosa ci sta chiedendo di fare?

Mi giro verso gli altri. Goran e Cedomil sono immobili, guardano i prigionieri, anche loro intontiti. È chiaro a tutti che questi non sono ribelli e anche se lo fossero dovremmo trattenerli come prigionieri, non sparargli alle spalle.

Il ronzio dei calabroni che ci girano intorno alla testa è l'unico suono nell'aria, nessuno fiata, comincio a pensare che questo silenzio non finirà mai. È il rumore della partenza del pullman a risvegliarmi dal sogno. Quando lo sento sparire lontano capisco che è vero, adesso capisco che stanno davvero chiedendoci di sparare una pallottola alla nuca di un gruppo di civili disarmati. Un plotone di esecuzione. Ecco che cosa ci hanno portato a fare. «Allora?» chiede Milorad, imbarazzato dal fatto che continuiamo a non reagire.

Sarà passato mezzo minuto, e i nostri bersagli sono ancora davanti a noi, in piedi, in fila. Adesso non nutrono più dubbi su quello che sta succedendo. Ma non fiatano, non più un grido, né un'imprecazione. Forse anche loro percepiscono quello che stiamo provando, forse anche loro sentono che non vogliamo farlo e sperano ancora che ci fermeremo.

Io non posso farlo.

Prendo in braccio il fucile e mi dirigo verso Milorad, dritto in fondo alla fila.

«Erdemović?» Era un po' che non mi chiamava per cognome. Mi avvicino, non voglio che i prigionieri sentano. «Milorad, non possiamo... non possiamo sparargli... questi non sono combattenti... e anche se lo fossero... non possiamo sparare alle spalle di nessuno... sono legati, indifesi...» Abbassa lo sguardo, stringe le labbra preparandosi a parlare ma è uno dei nuovi arrivati a anticiparlo. È l'ufficiale sceso per primo dal pullman, uno sbarbatello, avrà sì e no la mia età.

«Non te lo hanno insegnato che è maleducazione bisbigliare nelle orecchie, soldato?» mi dice fissandomi negli occhi. «Se hai qualcosa da dire è bene che tu riferisca davanti a tutti e non sussurrando al tuo comandante.» Milorad porta lo sguardo altrove, nessuno fiata.

«Obiettavo, signore.» Mi faccio coraggio: «Obiettavo, a quello che stiamo per fare».

Sorride. «Ah, tu obiettavi?» Si avvicina. «E cosa avresti da obiettare?» dice incrociando le braccia. «Siamo in guerra, te ne sei accorto? Questo è quello che succede in guerra, si uccidono altre persone se non si vuole essere uccisi. Nessuno te lo aveva detto prima di arruolarti, soldato?»

I nuovi arrivati ridono di gusto, mentre sento un rumore alle mie spalle, quasi impercettibile. Sommesso, uno degli uomini in fila sta piangendo. Non lo vedo, potrebbe essere una qualunque delle figure alle mie spalle, ma piange, ne sono sicuro. Mi costringo a continuare: «Signore, per quanto non abbia notizie riguardo alle circostanze nelle quali sono stati arrestati, mi sento di poter affermare con sicurezza che la maggior parte di loro sono civili».

L'ufficiale mi si piazza davanti a gambe aperte, il naso che quasi tocca il mio, sempre più nervoso. «E che cazzo ne sai tu?» Deglutisco, cerco di mantenermi il più composto possibile. «Lo deduco soprattutto dall'età: molti sono troppo vecchi o troppo giovani per essere abili al combattimento.» Tira un respiro. «E, anche se lo fossero, abbiamo il dovere di trattarli come prigionieri di guerra, non possiamo fucilarli sul posto.»

Vedo le vene sul suo collo pulsare, mi spintona, faccio un passo indietro, mi spintona di nuovo. «E chi cazzo saresti tu per dirmi quello che posso fare e quello che non posso fare?» Mi spinge ancora una volta finché non cado a terra. È una furia. «Chi cazzo saresti tu per mettere in dubbio un ordine? Ti rendi conto di quello che stai facendo? Ti piacciono tanto? Allora accomodati! Mettiti accanto e preparati a fare la stessa fine!» Mi giro verso Goran e

Cedomil, in cerca di sostegno. Non mi guardano, fissano entrambi apatici il terreno davanti alle loro scarpe. Deglutisco. «Nessuno mi aveva detto che avrei sparato a dei civili. Noi riforniamo le truppe, al massimo miniamo i ponti, ma non spariamo ai civili.»

«Alzati» mi urla. «Alzati e mettiti in fila.» Mi tira su strattonandomi per il bavero. «Ha ragione il colonnello Pelemis, quelli come te sono soltanto un peso inutile e non meritano di vedere il giorno dell'avvento della grande Serbia!»

Pelemis, lo spauracchio di ogni soldato. Poche settimane prima aveva piantato tre pallottole in testa a un suo sottoposto che si era rifiutato di eseguire un ordine. Un eroe per tutti gli imbecilli come quello che mi trovavo davanti.

Lo guardo, mi pare ancora più giovane. Un fanatico, vorrei poter dubitare delle sue parole ma comincio a pensare che sia davvero pronto a uccidermi pur di portare a termine il suo ordine.

Non posso, non posso sparare alla testa di vecchi e bambini. Getto il fucile a terra e faccio un passo verso la fila. Non posso, come riuscirei a ritrovare il sonno? Faccio altri due passi decisi. Come riuscirei di nuovo a guardare Sanja negli occhi? Cosa racconterei a Irina una volta tornato a casa?

Sanja… Irina…

Mi fermo; cosa ne sarebbe di loro se morissi oggi, ucciso per non aver eseguito un ordine? Tutti lo saprebbero, tutti… e allora diventerebbero la figlia e la vedova di un traditore, di un mezzosangue traditore. Non posso… non posso… non posso far loro questo…

«Milorad.» Mi giro verso il mio comandante, lo conosco dopo tutto questo tempo vissuto gomito a gomito. Non lo farà, non mi chiederà di farlo, difenderà il suo battaglione. «Milorad...» ripeto quasi a implorarlo. «Soldato semplice Erdemović,» risponde secco, senza guardarmi «stai forse disertando?»

Lascia la domanda in sospeso, non aggiunge altro. Non sta scherzando, se non mi unirò al plotone sarò un disertore a tutti gli effetti, un disertore da mettere al muro. Se non mi renderò complice di questo massacro non sarò altro che un testimone da eliminare, un nemico codardo a cui sparare un colpo alla tempia.

Mi sforzo di respirare lentamente, ritorno sui miei passi, raccolgo il fucile e mi posiziono accanto a Goran che si è messo a tracannare dalla bottiglia del brandy. «Passamela» gli dico. Me la passa, bevo, non ci guardiamo né diciamo altro. Adesso siamo tutti in fila, alle spalle delle nostre vittime.

«Qualcun altro deve dirmi un'altra cazzata?» ci urla il bambinetto in divisa.

«Vi prego no...» Adesso lo vedo, pochi metri più avanti, avrà sì e no tredici anni. È lui a piangere, è il suo pianto che sentivo prima. È dritto davanti a me, indossa una maglietta a strisce orizzontali rosse e bianche. Ha un caschetto di capelli biondi, lisci, ai piedi un paio di sandali blu, estivi. Non ci sono dubbi, sarò io a sparargli.

Non posso sparargli, non posso. Trema, lo vedo. Non posso sparargli.

«Al mio tre» sento la voce di Milorad.

Non posso farlo, non posso.

Sparerò in mezzo, tra due di loro, nessuno se ne accorgerà. Sparerò in mezzo e non ucciderò nessuno, e se avranno da ridire dirò solo che ho sbagliato mira. Sono un addetto alle munizioni io, non sono mica un cecchino.

Uno.

No, non posso farlo. Con che faccia tornerei a casa? Che padre sarei per Sanja? No, non posso farlo.

Due.

Mi viene da piangere.

Che cazzo penso di fare?

Se non li colpisco li uccido due volte. Rimarranno in piedi per altri interminabili attimi, circondati dall'odore di morte. Assisteranno alle nostre discussioni sul perché li abbia mancati, sentiranno il bamboccio urlarmi di nuovo in faccia e io che cerco di rimanere composto mentre gli spiego che ho semplicemente sbagliato mira. Continueremo finché un altro membro del plotone non completerà, con un colpo alla tempia, il lavoro che non sono riuscito a svolgere.

Non posso morire con loro, non posso farlo per Irina, non posso farlo per Sanja, perché avere un papà pieno di rimorsi è sempre meglio di averne uno sepolto in una fossa comune, martire di una strage che non è riuscito comunque a evitare. Aveva ragione Irina, non dovevo arruolarmi, che stupido che sono stato a pensare di fare una guerra senza sparare un colpo.

Chissà cosa stanno pensando loro in fila davanti a me. Probabilmente non stanno pensando a niente, probabilmente stanno solo pregando. Cosa si pensa mentre si aspetta di essere uccisi? Cosa ci si augura quando ci si accorge che non possiamo in alcun modo evitare la morte?

Se anche dicono qualcosa non riesco a sentirli, se anche piangono non li guardo. Non penso a niente.

Fuoco!

Sparo.

Fuoco!

Sparo.

Fuoco!

E non accade niente, o almeno niente di straordinario, tutto è anzi terribilmente meccanico. Uccidere un bambino è un rumore secco che esce dal mio fucile. Cadono in avanti in maniera disordinata, si afflosciano mentre la vita li abbandona. Li guardo e per un secondo penso che non hanno sofferto, che a quei lunghi momenti di terrore è seguita una morte istantanea e indolore. Ma è una favola che dura poco. Pochi istanti e cominciano a urlare, gemere. Alcuni non sono morti, rotolano su loro stessi, si trascinano, invocano Dio. Per fortuna non dura molto, i soldati dei pullman passano in rassegna i corpi a terra, uno a uno, e li freddano con un colpo di pistola alla testa, tutti, anche quelli ormai immobili, meccanicamente, per non perdere tempo a accertarsi chi sia morto e chi no.

Ecco ritornare il silenzio. Degli spari rimane solo l'eco e delle urla il ricordo nella mia testa. La camicia è così intrisa di sudore che mi si è attaccata alla schiena, ho la gola secca.

«Sbrigatevi,» ordina Milorad, «ammassateli in un angolo prima che arrivino gli altri.»

Gli altri? Di cosa parla Milorad? Quanti sono?

Goran mi passa accanto e mi fa un cenno con la testa. Ci avviciniamo a uno dei cadaveri. «Aiutami a tirarlo su» mi dice. Non devo guardarlo in faccia, devo riuscire a non guardarlo. Lo afferro per le gambe. Porta degli stivaletti marroni di pelle. Lo buttiamo di lato, come si fa con i sacchi di carbone da accatastare per l'inverno. Ne afferro un altro per le caviglie. La mia mano arriva a chiudersi intorno a un giovane arto, riconosco i sandali. Non resisto e alzo lo sguardo. Un colpo preciso, la pallottola gli ha fatto saltare il cranio rendendolo irriconoscibile, la testa ridotta a un grumo informe di sangue. Non è rimasto niente del suo viso, di lui potrò ricordare soltanto quel caschetto biondo.

Che schifo, mi vedo da fuori e mi faccio ribrezzo, avrei voglia di farmi del male. Lancio il cadavere sopra gli altri appena in tempo prima di essere sopraffatto dai conati. Vomito piegato su me stesso, per espellere l'orrore che ho dentro, il male che ho causato. Vomito senza fermarmi, un conato dopo l'altro, finché non arrivo a vomitare i miei stessi succhi gastrici. In ginocchio, comincio a piangere in maniera incontrollata, come fossi solo al mondo.

Gli ho davvero sparato io? Non ricordo, non ricordo neanche a chi abbia sparato. Ho preso la mira come se si trattasse di un addestramento, ho preso la mira come si fa con le sagome al poligono. Fa davvero una qualche differenza? Fa davvero una qualche differenza che abbia ucciso lui piuttosto che un altro? Sudo, sudo freddo, un prurito insopportabile mi assale il torace, mi gratto con violenza, come a cercare di portarmi via la pelle.

Goran mi mette una mano sulla spalla. «Vieni, sediamoci.» Andiamo all'ombra. Quanto tempo è che siamo qui? Ho la fronte che mi scotta. «Non potevi fare altrimenti,» dice «non potevamo fare altrimenti.» Non rispondo, è come se improvvisamente capissi il vero significato di tutti questi anni nell'esercito. Ho vissuto credendo a una bugia nella quale non posso più credere, ho vissuto convincendomi che eseguivo soltanto ordini, che portavo a destinazione casse di munizioni, come si trattasse di un bene fra i tanti, come se non sapessi a cosa servissero davvero. Quello che ho fatto non è stato un lavoro come un altro, un impiego per tirare avanti. Ho deciso di prendere parte a questa guerra, ho dato il mio contributo a un esercito di invasione che aveva come unico obiettivo distruggere la mia terra, il paese che amo.

Mi scoppia la testa. Gli altri si sono seduti intorno alla rinfusa e si passano le bottiglie di alcol. I nuovi arrivati sembrano di ottimo umore e socializzano con Jasa, mentre Goran se ne rimane in silenzio, così come Cedomil e Milorad che scrutano l'orizzonte.

Faccio appena in tempo a pulirmi il viso dalle lacrime che il pullman riappare. Stavolta Milorad non deve neanche prendersi l'incomodo di andargli incontro, è il giovane ufficiale a fare gli onori di casa. Mentre la scena si ripete, mentre la colonna delle nuove vittime viene messa in fila a pochi metri da noi, mentre gli altri di nuovo impugnano le armi, Milorad mi si piazza davanti e mi afferra le spalle fra le mani.

«Guardami, guardami in faccia» mi ripete mentre mi scuote. «Guardami! Presto tutto questo sarà finito, te lo prometto. Non fare cazzate, fai quello che ti si chiede e presto ce ne torniamo tutti a casa.»

«Non ce la faccio, Milorad, non ce la faccio...» Ho troppo male alla testa per riuscire a dire una qualsiasi frase di senso compiuto. «Sì che ce la fai,» mi dice prendendomi la testa fra le mani «abbiamo quasi finito, non lo vedi? Tra poco saremo a casa, tra poco abbraccerai la tua bambina senza preoccuparti dell'ora del rientro in caserma. Quanti anni ha adesso? Uno? Due? Tra poco andrà a scuola senza paura, tra poco non dovrai aspettare le licenze, ma la vedrai crescere giorno per giorno. Oggi la guerra finisce, oggi finiamo la guerra.»

Scuoto la testa per liberarmi dalle sue mani. «Non così... non così, non doveva andare così, non posso tornare a casa così... che uomini siamo? Che uomini siamo? Guardali! Bendati, legati! Spariamo alle spalle di vecchi e bambini!» Con un moto di rabbia improvvisa Milorad mi zittisce con uno schiaffo. Ma è troppo tardi, i prigionieri in fila davanti a noi hanno sentito il mio sfogo. Un breve silenzio prima che comincino a urlare.

«Lasciatemi! Vi prego, ho moglie e due figli piccoli a casa.»

«Ho soldi, tanti soldi, liberatemi e vi prometto che vi farò tutti ricchi, così ricchi che non dovrete mai più lavorare per il resto della vostra vita.»

«Allah, Allah non voglia!»

«Siete dei cani, non siete altro che dei cani del cazzo, se pensate di eliminarci così vi sbagliate, il nostro sangue maledirà voi e le vostre famiglie.»

«Non potete! Non potete! Come fate a fare una cosa del genere? Voi non siete persone!»

È un coro di tante voci unite dal desiderio di rimanere attaccate alla vita.

«Attenti!» Stavolta è Milorad stesso a svegliarci da quell'ipnosi di pianti e urla. «Puntare!» Stavolta non c'è silenzio, stavolta urlano tutti, piangono, maledicono, finché non è Milorad a farla finita gridando «Fuoco!» e sparo, sparo per non sentire più quelle urla, sparo perché non posso non sparare, sparo perché non voglio ricordare chi sono veramente, chi sono diventato.

E cadono, cadono tutti, come se li avessero spenti premendo un interruttore.

Non faccio in tempo a appoggiare il fucile a terra che gli altri si sono già messi al lavoro, sputano sui feriti prima di finirli e ammassano i corpi sopra il cumulo di cadaveri. Il giovane comandante mi viene incontro deciso. È Milorad a fermarlo quando è ormai a meno di un metro da me.

«È la seconda cazzata che fa,» gli dice senza smettere un secondo di guardarmi, «giuro che è l'ultima perché alla prossima gli pianto una pallottola in testa.»

«Tranquillo, tranquillo» lo rassicura Milorad. «Ha capito, sono convinto che non lo farà più, siamo tutti nervosi, beviamoci un goccio.»

«Tranquillo una sega» risponde incazzato. «Non sono qui a farmi urlare serbo del cazzo da quattro merde musulmane.» Afferra la bottiglia del brandy. «Li dobbiamo finire prima che capiscano cosa sta succedendo.»

Ormai non penso più, non cerco neanche di aiutare gli altri a spostare i cadaveri. Sarà quasi mezzogiorno e fa sempre più caldo. Mi attacco alla bottiglia del brandy con ancora il sapore del vomito che mi impasta la bocca. Bevo avidamente, dissetandomi come se fosse acqua. Milorad pare arrivato ben fornito, sapeva che avremmo avuto a che fare con un lavoro per stomaci forti. Ripenso alla ragazza violentata nella capanna pochi giorni fa, il giorno che ho cominciato a far finta di niente, a girar la testa pur di continuare a vivere.

È tutto chiaro, nessuno di noi ha più dubbi. Non stanno svuotando Srebrenica, ne stanno cancellando l'esistenza. Ci stanno portando tutti gli uomini, vogliono cancellarne la stirpe, vogliono ucciderne il futuro, siamo gli Erode di una nazione, non ci sarà mai più una Srebrenica musulmana. Chissà quanti altri plotoni stanno compiendo lo stesso lavoro in questa mattina d'estate. Chissà se qualcuno ha avuto il coraggio di dire no. Riuscirò a continuare a vivere anche stavolta? Riuscirò a continuare a vivere dopo aver piantato sei pallottole in testa a sei uomini? Chiudo gli occhi, vorrei poter dire di non ricordare i loro volti, ma invece li ricordo tutti. Ho chiuso un occhio, ho cercato di tenere il braccio immobile e ho mirato alla nuca. Uno, due, tre. Tre colpi secchi uno di seguito all'altro.

Se fossi nei loro panni vorrei essere il primo della fila. Cosa si prova a attendere immobile che una pallottola ti centri la testa? Senti lo sparo, stringi i denti pensando *adesso è proprio finita* mentre aspetti l'inevitabile. E invece no, non tocca ancora a te, è il compagno che ti precede. Senti il rumore del suo corpo che ti cade accanto, magari è addirittura qualcuno che conosci. Magari siete saliti sul pullman insieme per farvi forza, qualcuno che conosci fin da quando eravate bambini, un amico di famiglia. O forse è proprio il figlio del tuo vicino, magari il padre è stato spinto in un altro autobus ma tu l'hai tranquillizzato con uno sguardo come a dirgli *tranquillo, ci penso io*. Chiunque fosse quell'uomo in piedi di fianco a te, adesso lo senti cadere morto, o peggio ancora ne senti le urla da terra, ferito, morente. E sai non solo che non puoi aiutarlo, ma anche che tu sarai il prossimo. E pensi a tutto quello che della vita non potrai più vedere, a tutto quello che non potrai più gustare. Chissà se pensi anche a me, se ti domandi chi sono, io che ti sparo senza averti mai conosciuto, senza che abbiamo mai neanche scambiato una parola, senza neanche un motivo, solo perché mi è stato detto di farlo e perché non sono abbastanza forte da ribellarmi.

Ormai sono in trance, la mente anestetizzata, mentre i corpi accatastati uno sopra l'altro cominciano a puzzare, diventando pranzo di mosche e tafani.

Continuano a arrivare pullman pieni di uomini bendati. Nessuno parla più, anche le nuove reclute paiono stanche, proseguiamo con il lavoro in maniera meccanica, quasi come se uccidere fosse per noi una routine. Preferisco quelli che muoiono sull'istante, che scivolano al suolo come se qualcuno avesse staccato loro la spina. Mentre cerco di non ascoltare quelli che rimangono a terra feriti, non voglio vedere le loro lacrime, non voglio sentire i loro lamenti. Mi abituo al suono del mitra, cerco di tenermelo in testa, meccanico, sicuro, copre qualsiasi rumore e allontana i miei dubbi. Per fortuna mi è risparmiato il ruolo di finire i feriti: alle preghiere, agli insulti, ai pianti e alle maledizioni riesco a abituarmi, ma non al fatto di sopprimere un uomo ferito, sparandogli a bruciapelo come se fosse un cane.

Mi tengo in disparte in silenzio, continuo a bere.

Quanti abitanti ha Srebrenica?

I pullman continuano a arrivare mentre noi eseguiamo quello che ormai è diventato un rituale di morte sempre uguale.

Mi pulisco la fronte con la manica della camicia zuppa di sudore. Mi faccio schifo, ma sono come loro, forse peggio, perché continuo a rimanere cosciente di quello che stiamo compiendo ma non riesco a sottrarmi all'orrore. Hanno vinto, Mladić, Milošević, Karadžić e la loro retorica della grande Serbia, hanno vinto, mi hanno sconfitto, ormai non c'è più nessun loro, non c'è alcun modo attraverso il quale possa distinguermi, chiamarmi fuori, c'è soltanto noi.

Arriva l'ennesimo pullman, ma stavolta i civili che ne scendono non sono bendati: il generale non aveva previsto così tante esecuzioni o forse stanno solo cercando di accelerare le operazioni?

La colonna si avvicina ordinata, scortata dai soldati armati che si prendono ancora una volta cura di metterli in fila per l'esecuzione. Vedono i corpi ammassati lì accanto, ne sentono l'odore, forse riconoscono i tratti di un loro familiare, ma non scappano, non ci provano neppure. Abbiamo vinto, abbiamo annientato ogni loro scintilla vitale, perfino l'istinto primordiale alla fuga. Piangono, solo uno ha ancora il coraggio di maledirci, prima di scoppiare anche lui a piangere. Perché non scappano? Perché almeno non ci provano? Non è forse meglio che essere un bersaglio immobile? Renderebbero almeno il mio compito meno gravoso…

Sparo, il primo cade con una pallottola in piena fronte. Il secondo lo colpisco dritto nell'occhio destro, un fiotto di sangue che esplode mentre stramazza a terra senza un lamento. Vedendo la scena il vicino cede e si piega su se stesso prima che possa sparare, in ginocchio, le mani sul ventre mentre si lascia andare a un pianto isterico.

Ma Milorad non si ferma e continua a urlare «Puntare! Fuoco». Abbasso la mira e gli sparo mirando alla testa, della quale vedo soltanto la parte superiore, l'attaccatura dei capelli. Lo manco, ricarico e prendo la mira. Lo sento piangere sempre più forte, preda immobile di un cacciatore dalla mira imprecisa. Sparo. Urla, stavolta l'ho preso, si piega su un lato, la mano piena di sangue. L'ho colpito all'orecchio, urla mentre la mano si copre immediatamente di sangue.

Mi fermo a guardarlo, il dito sul grilletto. So che dovrei sparare, fare in modo che il supplizio finisca, ma non ce la faccio, rimango a guardare, come se non potessi farci niente. Il poveretto si butta pancia a terra, rotolandosi urla frasi senza senso; le dita che cercano di penetrare quella terra impregnata del suo stesso sangue. È Milorad a porre fine allo spettacolo con un colpo alla nuca, riportando la campagna al silenzio di questo pomeriggio estivo.

«Mica cominceranno a mandarceli sbendati adesso? Come se non avessimo abbastanza problemi» aggiunge a mezza voce, mentre Goran gli passa l'ennesima bottiglia di brandy.

Guardo la massa di corpi impilati, coperti ormai di mosche. Potrò mai dimenticare questa immagine? Cosa dirò a Sanja quando un giorno mi chiederà cosa faceva suo padre durante la guerra?

Arriva un altro pullman carico di una massa di prigionieri, anche loro a volto scoperto. Ci insultano mentre vengono allineati davanti al plotone, l'ultimo della fila urla verso di me. È il vecchio, il contadino che ho salvato qualche settimana fa. «Lui mi conosce,» grida «lui lo sa che non sono un criminale, lasciatemi libero, lui mi conosce!» La vista di Milorad pare scaldarlo ulteriormente. «Anche lui, anche lui mi conosce, lui lo sa che non sono un ribelle! Guardatemi! Sono un vecchio! Come potrei combattere nei boschi?» Il plotone rimane in silenzio, a aspettare ordini.

Lo zelo delle prime ore è ormai scomparso anche nei più entusiasti e quell'attimo riaccende la speranza nel gruppo dei condannati che comincia a urlare.

«Mio fratello! Mio fratello vive in Svizzera! È un dottore! Un primario! Lasciatemi vivere e vi ricoprirà di soldi! Chi si accorgerà dell'assenza del mio corpo in questo mare di morti?»

«Ho salvato un serbo! Chiedetelo! Chiunque potrà dirvelo! Mi hanno odiato tutti in città, mi chiamavano *traditore*! Ho salvato un serbo! Chiedete!»

«Ho due figlie! Due figlie piccole! Non avete dei figli? Come potete fare questo?»

Anche stavolta il coro è interrotto al segnale di Milorad. Cadono tutti, nessuno sbaglia. Mentre si assicurano che non ci siano sopravvissuti, è il comandante appena arrivato a prendere la parola.

«Non possiamo risparmiare nessuno, proprio nessuno,» ci arringa «non possiamo permettere che la loro stirpe continui a infestare questa terra.»

«E non possiamo permettere che nessuno venga a conoscenza di quello che stiamo facendo» è la voce di Milorad, ormai ubriaco, a riportare il silenzio nel plotone, interrompendo il giovane comandante. Jasa si rivolge a me senza neanche guardarmi. «Vedi Dražen, potevi evitargli tutto questo se tu non avessi fatto lo stronzo.»

Per la prima volta dall'inizio della carneficina guardo gli altri. Mi rendo conto che dal momento in cui ho sparato la mia prima pallottola non ho avuto più il coraggio di guardarli in faccia, non ho avuto più voglia di incrociare i loro sguardi. Sono visi stanchi, esausti da questa giornata che pare non finire mai. Quanto tempo è che spariamo? Chi saremo alla fine di tutto questo? Ho la chiara sensazione che una parte di me resterà per sempre qui, la parte di me che è morta insieme a loro. Quante persone ho ucciso? Dieci? Venti? Cento? Mi metto a pensare. Dieci, no, almeno venti viaggi del pullman. A ogni viaggio ho ucciso almeno tre, se non quattro persone. Oggi ho ucciso almeno settanta persone. Mio Dio, ora non solo non riesco più a ricordare i loro volti, ma non riesco nemmeno a ricordare quanti siano. Che differenza fa? Che differenza c'è tra aver ucciso settanta persone e l'intera umanità? No, no, se almeno ne avessi salvato uno... o almeno il ricordo dei loro volti... le loro storie... il caldo, l'alcol... Finirà mai questa processione infinita di pullman?

È un rumore in fondo alla strada a rispondermi. Non è un pullman ma una camionetta militare, che si dirige a velocità sostenuta verso la nostra postazione.

Ne esce un soldato in tuta mimetica, saluta brevemente Milorad e il comandante dell'altra unità e si sistema in piedi in mezzo a noi, gambe aperte e braccia conserte.

«Congratulazioni a tutti» sono le sue parole. «Il vostro lavoro qui è finito, adesso mi seguirete, c'è da dare una mano a Pilice, non dobbiamo lasciarne nemmeno uno!»

Non abbiamo finito? Cosa si aspettano adesso? È pomeriggio inoltrato, è tutto il giorno che non facciamo altro che sparare! Ho male alle spalle e alle mani, non mi viene nemmeno più da piangere. Stavolta è Milorad a ribellarsi. «Gli ordini non erano questi,» lo interrompe, «non li vedi? Sono stanchi, sono distrutti, cosa altro vuoi che facciano? I miei uomini adesso rientrano alla base.» Il nuovo arrivato rimane un secondo in silenzio, non sembra turbato. «Benissimo,» risponde «ci sono volontari che vogliono unirsi allora?» È il comandante dell'altra unità il primo a farsi avanti. «Io vengo! Fedele alla nazione serba!» Anche Jasa e i nuovi arrivati si fanno avanti, Cedomil e Goran rimangono seduti accanto a me, vuoti. Mentre gli altri si allontanano Goran mi mette una mano sulla spalla. «È finita Dražen» mi dice. «Stavolta torniamo davvero a casa.»

Sulla via del ritorno mi sdraio e chiudo gli occhi, nessuno ha voglia di parlare, nessuno ha niente da aggiungere. Perché non sono morto? Perché ho deciso di vivere? Posso davvero pensare di vivere dopo questo? Sono vivo perché ho pensato a Irina e Sanja o perché ho pensato ancora una volta a me, solo e soltanto a me?

Chiudo gli occhi e appoggio la guancia sul pavimento nel retro della camionetta. È freddo, metallico. Come sarebbe bello dormire, come sarebbe bello dimenticare. La mia vita inizia oggi, la mia vita con il mio nuovo me, un me che avrei preferito non conoscere, non incontrare. Ogni mia azione, ogni mio pensiero e decisione, d'ora in poi, saranno una conseguenza del ricordo di questa giornata. Solo così potrò non dimenticarli, solo così potrò non ucciderli di nuovo, solo così forse, un giorno, potrò tornare a essere umano.

Nota

A Srebrenica dal 12 al 16 luglio 1995 vennero uccisi tra gli 8.000 e i 10.000 musulmani bosniaci. A distanza di mesi le fosse furono riaperte e i corpi dispersi, in modo da renderne impossibile il riconoscimento.

Il generale francese Philippe Morillon, comandante dei caschi blu in Bosnia, entrò a Srebrenica nel marzo del 1993. Constatata la situazione di emergenza nell'enclave sotto assedio, priva di cibo e acqua, promise alla popolazione terrorizzata che la città sarebbe stata da quel momento sotto la protezione delle Nazioni Unite.

Nonostante il fallimento del suo operato in Bosnia, ha ricevuto la Legione d'onore da parte del governo francese e è stato membro del Parlamento europeo dal 1999 al 2009. Nel settembre 2010 le madri di Srebrenica gli hanno impedito di visitare il memoriale per le vittime del genocidio.

A Srebrenica nei giorni del genocidio erano presenti 429 soldati olandesi. Prima di lasciare l'enclave, le Nazioni Unite hanno risarcito i serbi per la benzina usata dai pullman per il trasporto dei rifugiati fuori Srebrenica. Le divise sequestrate ai caschi blu sono state utilizzate dalle forze serbe per convincere i fuggitivi a uscire allo scoperto in modo da essere uccisi.

Il governo olandese ha premiato con onorificenze i caschi blu per il lavoro svolto a Srebrenica. Thomas J. P. Karremans, comandante del contingente olandese a Srebrenica, al ritorno in patria fu promosso colonnello.

Nel 2002, dopo sette anni di ricerche, il rapporto del Nederlands Instituut voor Oorlogsdocumentatie ha ritenuto l'alto comando olandese responsabile di negligenza per non avere impedito il massacro: missione mal preparata, inadeguata presenza di mezzi e di copertura aerea, inadeguati rifornimenti e inadeguata coordinazione tra il ministero della difesa e il ministero degli esteri. Dopo sei giorni dalla pubblicazione, in seguito al dibattito sulle responsabilità del contingente olandese nel massacro, il primo ministro Wim Kok ha rassegnato le dimissioni insieme al resto del suo governo.

Il 29 novembre 1996 Dražen Erdemović viene condannato in primo grado a 10 anni di reclusione. Nel 1998, riconoscendogli le attenuanti, il Tribunale penale internazionale per la ex Jugoslavia ha ridotto la condanna di Dražen Erdemović da 10 a 5 anni. È tuttora l'unico membro del Decimo battaglione a essere stato processato.

Soltanto nel 2010 il Parlamento serbo ha fornito le sue pubbliche scuse alla comunità internazionale per quanto accaduto a Srebrenica.

Nessuno dei civili inseriti nella lista dei caschi blu è sopravvissuto al genocidio.

Il 7 settembre 2013 la Corte suprema olandese ha giudicato l'Olanda responsabile solo della morte di tre musulmani bosniaci uccisi nel 1995 durante il massacro di Srebrenica.

Bibliografia essenziale

Brooks Rosa, «Law in the Heart of Darkness: Atrocity and Duress», in *Virginia Journal of International Law*, 43, 2003.

Browning Christopher R., *Ordinary Men: Reserve Police Battalion 101 and the Final Solution in Poland*, Penguin, London 2001.

Chiesa Luis E., «Duress, Demanding Heroism and Proportionality: The Erdemovic Case and Beyond», in *Vanderbilt Journal of Transnational Law*, 2008.

Drakulić Slavenka, *They would never hurt a fly*, Abacus, London 2004.

Honig Jan Willem e Both Norbert, *Srebrenica, record of a war crime*, Penguin, London 1996.

Rumiz Paolo, *Maschere per un massacro. Quello che non abbiamo voluto sapere della guerra in Jugoslavia*, Feltrinelli, Milano 2013.

Tutte le informazioni sul caso Erdemović sono disponibili in lingua inglese sul sito del Tribunale penale internazionale presso l'indirizzo http://www.icty.org/case/erdemovic/4.

Ringraziamenti

Questo libro non sarebbe stato possibile senza l'aiuto di molti. Un ringraziamento va a Ekin, per averci creduto quando non ci credevo più neanche io, non potevo trovare sostegno più solido e paziente.

Un ringraziamento va a Gaia, per avermi raccontato per la prima volta questa storia e per avermi fornito negli anni materiale e spiegazioni sul funzionamento del Tribunale penale internazionale, senza di lei questo libro non avrebbe preso corpo.

Un ringraziamento va a Benedetta, Lucia e Stefano e alla casa editrice Giunti, per aver creduto in un esordiente e in una storia che molti avrebbero giudicato poco commerciale.

Ringrazio anche i miei lettori di fiducia: Alessio, Mario e mia sorella Chiara. Alessio e Chiara per i suggerimenti e per essermi stati accanto, Mario per avermi suggerito più volte di rimettere il libro nel cassetto, questo libro lo dedico anche a loro. A Alessio anche un grazie speciale per avere "stemperato" questi ringraziamenti: ci sarà spazio in altri libri per lamentarsi di Mario.

Un ringraziamento perfino a mio fratello Emanuele per i suggerimenti grafici e narrativi. Abbiamo tutti bisogno di cattivi esempi.

Grazie a Maria per il lavoro instancabile sul testo grezzo: insegnanti appassionati servono sempre, a ogni età.

Non posso non ringraziare anche Mr. Zeckau per i suggerimenti grafici e per il mio primo *photo-shooting*.

Un ringraziamento a babbo Paolo e mamma Gabry, per avermi sostenuto in tutte le mie scelte, soprattutto per quelle che non capivano fino in fondo.

Infine un grazie speciale va al Premio Calvino, a Gaia e ai suoi lettori, per l'incredibile lavoro che fanno: senza di loro questo libro non avrebbe mai trovato una casa.

Tante altre persone hanno, più o meno consapevolmente, contribuito negli anni a dare forma a questo romanzo: Erik, Paolo, il Pera, Rob, Andrea, Ale Greco, Petar, Julia, Aylin, Duygu, Jonathan, Annie e Paul, Lale, Gokhan e Yagmur. C'è un pezzettino di voi tutti in questo libro.

Indice

ITALIANA

Ermanno Rea
La comunista

In queste due storie – *La comunista* e *L'occhio del Vesuvio* – Ermanno Rea riprende a tessere la sua appassionata tela narrativa dedicata a Napoli. Una città-abisso. Una città-nostalgia. Una città-rimpianto. Si salverà Napoli? Si salverà – risponde la Comunista – se uomini e donne sapranno abbandonarsi all'entusiasmo dell'impossibile, a progettare e vivere una propria utopia. Due racconti esemplari in cui l'autore, fedele ai suoi temi più cari, con sguardo acuto e fermo scruta il nostro presente e lo fotografa, lo mette a nudo sulla pagina in uno stile terso e pulito, «perfetto».

Volume rilegato con sovraccoperta / pp. 144 / € 12,00

Rosa Matteucci
Le donne perdonano tutto tranne il silenzio

Sul set di un film che non si farà vanno in scena i destini incrociati di due donne, un'attrice e una giornalista, che in una sola giornata scopriranno la ragione delle loro sofferenze, dovute a uomini accomunati da indifferenza e cinismo. Le donne sono sempre convinte di possedere tutto quello di cui un uomo ha bisogno. Sono quindi disposte a prendersi qualsiasi tipo di bipede, che credono di poter rimodellare. Ma anche in queste pagine, cristallizzate in uno stile originale e potente, le donne perdonano tutto tranne il silenzio.

Volume in brossura con bandelle / pp. 144 / € 12,00

Simona Baldelli
Evelina e le fate

Sulle colline alle spalle di Pesaro, in attesa dell'arrivo degli alleati, trascorre l'ultimo anno della seconda guerra mondiale filtrato dallo sguardo innocente della piccola Evelina. La bambina vede due fate: la Scepa, che ride sempre, e la Nera, dai tratti cupi, che fa scappare Evelina e i suoi fratelli prima dell'arrivo dei tedeschi. E mentre la guerra travolge tutta la famiglia – padre e madre malata, e il segreto di una bambina ebrea nascosta sotto una botola dentro la stalla – realtà e magia si mescolano e si intrecciano.

Volume in brossura con bandelle / pp. 224 / € 12,00

Marco Archetti
Sette diavoli

Egle è ancora una bambina quando, nel 1945, perde i genitori, e uno zio sconosciuto la trascina in un'altra città, dal sud al nord dell'Italia. La scuola interrotta, il lavoro, la fuga da quella casa, un amore impossibile: queste le dure esperienze che le insegneranno cosa significa stare al mondo. Finché non diventerà "Sette diavoli" per tutti, la più desiderata. La storia incandescente e senza respiro di una donna che ha amato e odiato come nessuno.

Volume in brossura con bandelle / pp.192 / € 12,00

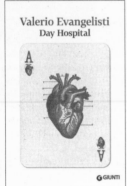

Valerio Evangelisti
Day Hospital

Un semplice controllo dal dentista segna l'inizio di un tunnel nero come la pece che porta dritto alla scoperta di un linfoma che sconvolge la vita di Valerio Evangelisti, uno degli scrittori più noti e amati dei nostri anni. È il dicembre 2009 quando l'autore comincia un calvario di esami e poi di sedute di chemioterapia che viene restituito sulla pagina con ironia e senza dolorismi. Il diario lucido, asciutto, essenziale, di una malattia terribile e della sua sconfitta.

Volume in brossura con bandelle / pp. 112 / € 10,00

Laura Pariani
Il piatto dell'angelo

Il piatto dell'angelo è il posto a tavola lasciato per chi è lontano e ci si augura che faccia ritorno. Un segno di speranza, uno sguardo al futuro. Laura Pariani torna ai suoi temi più cari, al racconto delle partenze di uomini che un secolo fa si separavano dalle famiglie migrando nella "Merica" in cerca di fortuna, e di donne che oggi dal Sudamerica (e non solo) arrivano in Europa e in Italia lasciando a casa mariti, figli e genitori. Donne che partono, donne che aspettano, donne che raccontano chi siamo e le nostre radici.

Volume in brossura con bandelle / pp. 144 / € 12,00

Flavio Pagano
Perdutamente
Cosa fare quando una persona cara si ammala, lottare fino all'ultimo, sognare di sconfiggere la malattia, o accettare che il distacco è un destino ineluttabile, e che la vita continua? In una Napoli convulsa e surreale, la storia di una famiglia – tanto allargata quanto scombinata – che si trova ad affrontare una delle emergenze più frequenti della vita di oggi: assistere l'anziana madre e nonna che si sta ammalando di Alzheimer.

Volume in brossura con bandelle / pp.240 / € 12,00

Massimiliano Governi
Come vivevano i felici
Una famiglia, una società d'investimenti disonesta, un uomo che trascina nel crollo ogni cosa che tocca. *Come vivevano i felici* riscrive liberamente la storia di Bernard Madoff dalla parte di suo figlio, che a un anno di distanza dall'arresto del padre si uccide impiccandosi. Un diario stravolto e senza risparmio, che mette in rilievo temi importanti che riguardano i nostri anni: corruzione, finanza, dissoluzione della famiglia.

Volume in brossura con bandelle / pp. 144 / € 10,00

Diego Agostini
La fabbrica dei cattivi
Una famiglia normale in vacanza in Florida. Una sosta in un centro commerciale per comprare una maglietta. La figlia più piccola si è appena addormentata ed è un peccato svegliarla: l'auto è proprio davanti alla vetrina, è questione di un attimo, non può succedere nulla. E invece, senza saperlo, Alex e Mara hanno violato una legge dello Stato e vengono risucchiati in un'inesorabile spirale giuridica. Un'esperienza sconcertante che brucia il sogno americano.

Volume in brossura con bandelle / pp. 288 / € 12,00